知念実希人

絶対零度のテロル
天久鷹央の事件カルテ

実業之日本社

実業之日本社文庫

目次

絶対零度のテロル

Terror at Absolute zero

天久鷹央の事件カルテ

プロローグ

寒い……、暑い……、冷たい……、熱い……、いや痛い……。

矛盾した感覚が絶え間なく脳を刺激し、責め立ててくる。

荒い息をつきながら、男は深い森をふらふらとおぼつかない足取りで進み続けた。

はらわたが凍っていくような感覚が体の内側に広がっていく。

遠くから、猛獣の咆哮《ほうこう》のような低い音が響き渡り、氷結しかけている男の内臓を揺らした。

あそこから……、あの場所から少しでも離れなければ……。

霞《かすみ》がかかっている思考の中、男は自らに言い聞かせ、前へ前へと足を動かし続ける。

やがて、男の歩みが止まった。

再び歩き出そうと歯を食いしばるが、脳からの命令を伝える神経が凍りついてしまったかのように、足は、体はもはやピクリとも動かなかった。

白く濁った視界がゆっくりと傾きはじめる。

肩と側頭部に激しい衝撃と痛みが走り、男ははじめて自分が倒れたことに気づく。

もはや指一本さえも動かせなかった。

見開いた男の目に、生い茂った葉の向こう側で淡く輝く満月が映った。

「きれいだ……」

半開きの口から白い吐息とともに声が漏れると同時に、男の意識は深く昏《くら》い場所へと落下していく。

男の命が凍り付き、そして砕け散った。

第一章　熱帯夜のアイスマン

1

「暑いなあ……」

「暑いですねえ……」

救急部のユニフォームである半袖のスクラブの上に、滅菌ガウンを羽織った僕、小鳥遊《たかなし》優《しゅう》と鴻ノ池《こうのいけ》舞《まい》が力ない声で言う。九月中旬の深夜十一時過ぎ、僕たちは救急部の外で並んで立っていた。

もう秋だというのに、熱帯のジャングルにいるような湿気と暑さが責め立ててくる。ガウンの中は蒸れに蒸れ、もはやサウナスーツを着ているかのようだ。

「今年は本当に残暑が厳しいですねえ。いつになったら涼しくなるのやら」

いつもはうざいくらいテンションが高い鴻ノ池だが、さすがにこのうだるような暑さで声に覇気がない。

「とりあえず、早く冷房の効いた救急部に戻りたい……。まだ救急車は来ないのかよ。五分前に『もうすぐ着きます』って言ったから、こうやって外で待っているのに……」

「蕎麦《そば》屋の出前みたいですねえ」

僕と鴻ノ池は同時に大きなため息をついた。

今夜、僕たちは救急部の当直に当たっていた。

東久留米《ひがしくるめ》市にあるこの天医会《てんいかい》総合病院の救急部は、慢性人手不足症候群にかかり、猫の手も借りたいという症状を常に呈している。そんな救急部に僕は、『レンタル猫の手』として定期的に貸し出され、毎週金曜日の救急部の勤務及び、週に一回程度の救急部の当直を引き受けていた。また天医会総合病院では救急医療を学ぶ重要性に鑑み、研修医はどの科で研修を行っていても、当直業務は救急部で行うことになっている。

というわけで、統括診断部に所属している僕と、そこで研修中の鴻ノ池が救急当直をしていることは不思議でもなんでもない。

けれど……。

「けれど、なんで毎回毎回、お前と当直が被《かぶ》っているんだよ……」

思わず愚痴が口をついてしまう。天医会総合病院は、もっとも緊急性の高い救急患者の搬送先である三次救急医療機関に定められている。つまり、重症患者がひっきりなしに運び込まれ、一晩中修羅場になることも珍しくない。

午後六時から翌朝の八時までという長丁場を乗り越えるためには、できるだけ省エネで当直に当たりたいところだ。しかし、中東の油田のごとく、無尽蔵にエネルギーが湧き出し続ける鴻ノ池と一緒に働くと、そのテンションに引っ張られて省エネ作戦が破綻してしまい、朝になる頃にはいつも完全にガス欠になっている。

「前から言っているじゃないですか。私、小鳥《ことり》先生の当直の日を確認してから、自分の当直の希望日を出しているって。当直で疲れても、小鳥先生をからか……お話ししたら元気が出て、朝まで乗り切れるし」

「……お前いま『からかったら』って言いかけただろ。そもそも、その話を聞いて以来、僕はぎりぎりに当直の希望日を出すようにしているんだ。なのに、どうしてそれでも同じ日に当直になっているんだよ」

「あ、それは私が直接、壺井《つぼい》先生に頼んでいるからです。『できるだけ、小鳥先生と同じ日にしてください』って」

あっけらかんと言う鴻ノ池の言葉を聞いて、僕は天を仰ぐ。壺井は救急部の部長だ。救急部の勤務スケジュールを組む壺井が籠絡されていたら、僕のささやかな抵抗なんてなんの意味もない。

天真爛漫《らんまん》な性格からくる人当たりの好《よ》さと、フットワークの軽さで、鴻ノ池は各科の部長からの受けがすこぶる良い。小児科部長の熊川《くまかわ》には「鴻ノ池ちゃんは、小児科に来て欲しいな」などと言われ、実の娘のようにかわいがられているし、噂《うわさ》では産婦人科部長の小田原《おだわら》とは飲み友だちにまでなっているらしい。

「なのにこいつ、僕に対する態度だけはやけに馴《な》れ馴《な》れしいんだよな……」

口から愚痴が漏れてしまう。

「やだなぁ、小鳥先生のこと慕っているんですよ。なんか、小鳥先生って『お兄ちゃん』って感じですから、いじりたくなっちゃうんです」

「これ以上、妹はいらない。特に兄貴をいじってくるような奴《やつ》は」

「あれ？　これ以上ってことは、もしかして妹さんいるんですか？」

失言に気づき、両手で口を押さえるが、もう遅かった。鴻ノ池の目がいやらしく細められる。

「へー、小鳥先生って、妹さんがいるんですか？　だから、『お兄ちゃん』って感じなのかぁ。ちなみに、妹さんっておいくつですか？　なにをしているんですか？　どんな感じの子ですか。今度会ってみたいなぁ」

冗談じゃない。あいつと会わせたりしたら、僕の子どもの頃からの弱みが全部鴻ノ池に筒抜けになってしまう。そしてその情報はそのまま、年下の上司にも伝わるのだ。これ以上、二人に頭が上がらなくなる事態だけは避けなければ。

僕が心を決めたとき、かすかに救急車のサイレン音が聞こえてきた。

「ほら、もうすぐ救急車がつく。下らない話は終わりだ。心肺停止状態らしいから、集中しないと」

鴻ノ池はつまらなそうに「はーい」と返事をする。

「けど、こんな時間に公園に倒れていた心肺停止患者ですか。夜のお散歩って時間でもないですし、ホームレスですかね」

鴻ノ池の言葉に、「かもな」と僕は頷《うなず》く。

救急隊からの情報では、搬送されてくる患者は若い男性で、久留米池《くるめいけ》公園で倒れているのを、そこに住みついているホームレスに発見され、救急要請が行われたらしい。

「最近、熱帯夜が続いているし、熱中症かもしれませんね」

「その可能性も十分にある」

僕は額の汗をぬぐう。

「もし体温が高ければ、心肺蘇生《そせい》と同時に、ひたすらクーリングですね。氷まくらで全身を冷やしたうえで、冷蔵庫で冷やしてある生理食塩水で点滴ラインを作って、全開で流すんですね」

「ああ、そうだ。よく勉強しているな」

僕が頷くと、鴻ノ池は肩をすくめた。

「そりゃ、最近、救急当直のたびに熱中症患者さん、運ばれてきますからね。嫌でも手順をおぼえちゃいますよ。もう本当に今年の残暑、ひどすぎです。ジョギングしても汗がべとついて気持ち悪いし、湿気でヘアスタイルも決まらないし。小鳥先生、責任取ってくださいよ」

鴻ノ池は苛立《いらだ》たし気に言う。

「僕に八つ当たりするな」

「八つ当たりじゃないです。自然現象なんだから、文句を言っても仕方ないじゃないですか。けど、暑くてイライラするのも仕方がない。だから、そのストレスをとりあえず手近にいる人にぶつけているだけです」

「純度百パーセントの八つ当たりだな……」

「可愛《かわい》い妹分のストレス解消にぐらい、付き合ってくれる甲斐性《かいしょう》があってもいいじゃないですか。ね、お兄ちゃん」

「お兄ちゃん言うな！」

またからかわれるネタが増えてしまった。僕が頭を押さえながら、大きなため息をついたとき、ようやく救急車が病院の敷地内に姿を現した。

「来たぞ。馬鹿話は終わりだ」

鴻ノ池は「はい！」と表情を引き締める。

サイレン音を消した救急車が僕たちの前で停車し、すぐに後部の扉が開いた。救急隊員が車内からストレッチャーを引き出す。そこには、下半身にトランクスだけを穿《は》いた半裸の痩せた男性が横たわり、その胸に救急隊員が両手を重ね、必死に心臓マッサージを行っていた。

強いアルコール臭が鼻をつく。僕は一瞬顔をしかめると、指示を飛ばした。

「処置室へ搬送を！　どんな状況ですか？」

「現着時、すでに心肺停止状態だったため、人工呼吸を開始したうえ、ＡＥＤを装着しました。現場で二度通電を行いましたが、心拍は再開しなかったため、搬送に切り替えました。車内でも一度通電しましたが、やはり心拍再開はしませんでした」

ストレッチャーを引く救急隊員の説明を、一緒に移動しつつ聞きながら、僕は患者の体を見る。

「服は切って脱がせたんですか？」

「いいえ、最初からこの状態でした」

「この状態って、トランクスだけの状態で倒れていたんですか？」

救急隊員が「そうです」と頷く。

今夜の暑さに耐えられず、裸で徘徊《はいかい》していたということだろうか？　僕が鼻の付け根にしわを刻んでいるうちに、ストレッチャーが救急処置室のベッドに横付けされる。

「あと、おかしな点があって……」

これまで、はきはきと状況報告をしていた救急隊員が、急に言葉を濁した。

「あとで聞きます。まずは患者をベッドに移動させましょう。僕の合図でいきますよ」

救急隊員たちとともに、僕と鴻ノ池は患者の体を移そうと、その体に手を伸ばす。次の瞬間、僕は「うおっ⁉」と声を上げて反射的に手を引いてしまう。見ると、鴻ノ池も目を大きく見開いて、手を引っ込めていた。

「……なんだよ、これ？　……冷たい？」

僕はおずおずと患者の首筋に触れる。指先に氷に触れたかのような冷感が伝わってきた。

「そうです。体が冷たいんです。体温計もエラーが出て計れませんでした」

「こ、これって、死後かなり経《た》っているんじゃ……」

鴻ノ池がかすれ声でつぶやく。

「……いいや、違う」

混乱しかけている頭で、僕は必死に思考をまとめていく。

「ＡＥＤが電気ショックを行ったということは、心臓が完全に止まった心静止ではなく、細かく痙攣《けいれん》している心室細動の状態だったということだ。この患者は心肺停止になってからそんなに時間が経っていない。……死後に時間が経って体が冷えているわけじゃない」

「じゃあ、なんでこんなに冷たいんですか⁉」

鴻ノ池の声が裏返る。

「分からない。ただ心肺停止の理由はおそらく、……この体温低下だ」

僕は唾を呑《の》み込むと、静かに言う。

「この熱帯夜に、この患者は凍死しかけているんだ」

2

『日経平均は百十五円三十銭下がって、三万三百二十二円十銭。外国為替市場は円安が進み……』

テレビ画面に映った深夜の報道番組で、男性キャスターが淡々とニュースを読み上げていく。

「なんか、円安が進んでいるなぁ……。これじゃあ、海外旅行とか高くなるだろうなぁ」

「小鳥先生、海外旅行に行く予定があるんですか？　なら、私も連れて行ってくださいよ。涼しいところが良いです。蒸し暑い東京から脱出して、避暑地に行きたいです」

「そんな予定、あるわけがないだろ。お前の新しいバイクと、自分の新車を買って懐が寂しいんだから。それに最近、ガソリン代が上がって、通勤にかかる金も馬鹿にならないし」

「それなら、近くに家を買っちゃうとかどうですか？　ほら、久留米池公園の近くにでっかいタワーマンションを建てているでしょ。思い切って、あれのペントハウス買うとか。そうしたら、私を居候させてください。いっぱいお部屋あるだろうし」

「だから、懐が寂しいって言っているだろ。どこにそんな金があるんだよ」

「五十年ローンくらい組めば、なんとかなりません？」

「残りの人生、ずっとローンを払い続けるのかよ……。そもそも、あのタワーマンションの分譲なんて、もう受付終了しているんじゃないか？　帰りに車で近くを通るけど、三ヶ月くらい前にはもうほぼ完成していたぞ」

「えー、でも分譲のチラシとかまだ見ていませんよ。なんか、トラブルでも起きているんですかね。……そういえば、そんな噂、聞いた気がするなぁ」

「研修医にマンションを売り込んでどうするんだよ……」

僕と鴻ノ池の内容のない会話が、深夜の救急部控室に響く。

『凍った男』が救急搬送されてきてから約二時間後、僕と鴻ノ池は控室で休憩をとっていた。

『速報です。警視庁は先月から四件続いている一連の爆発事件を、同一犯による犯行の可能性が高いとみて……』

「物騒ですねえ……。もう五人くらい亡くなっているんでしたっけ?」

眠そうな目をこすりながら、鴻ノ池がつぶやく。

「六人だよ。しかも、だんだん爆発の規模が大きくなってきているってさ。まさか東京でこんな連続爆弾テロが起きるなんてな。平和な日本ってやつは、もう幻なのかもな……」

僕は覇気のかけらもない声で答える。

午後六時からすでに八時間近く、ほとんど休みを取ることなく救急患者の処置に当たったため、疲労もピークに達していた。

重症患者の治療に動き回っている間は、アドレナリンが出ているため疲れも眠気も吹っ飛んでいる。しかし、十五分ほど前に心筋梗塞の患者を循環器内科に引き継ぎ、この控室に戻って一息つくと同時に、アドレナリンでごまかしていた疲労感が一気に襲ってきていた。

『警視庁は一連の爆発事件をテロとして捜査……』

鴻ノ池はリモコンをとると、テレビを消す。沈黙が降りた控室に、鴻ノ池のあくびの音が響いた。

「しかし、なにがあったんですかね。あの人に」

思い出したように、鴻ノ池がつぶやいた。

「あの人って?」

「凍死した男の人に決まっているじゃないですか」

「ああ、あの患者か……」

僕は二時間ほど前の出来事を思い出す。

低体温症による心肺停止の可能性が高いと考えた僕は、救急部に用意されている電気毛布や湯たんぽを使って患者の体を可能な限り温めつつ、心肺蘇生術を行った。しかし、最後まで男の心拍が再開することはなく、処置開始から数十分経って、蘇生の可能性はないと判断し、死亡確認を行った。

「さあ、なんなんだろうな。わけが分からないよ」

死亡宣告のための聴診をした際に触れた男の胸元が、やはり氷のように冷たかったことを思い出す。

「死亡しているんで冷たくなるのは当然だけど、それにしても冷たすぎた。なんというか、雪女みたいだな」

「雪女ならぬ、雪男ってわけですか。『スノーマン』だと違うキャラクターが思い浮かんじゃうんで、『アイスマン』ってとこですかね」

「『アイスマン』も別にいるだろ。氷河かなんかで冷凍されて、当時のままの姿で見つかった古代人のミイラかなにかだったはずだ」

「細かいこと言わないでくださいよ。身元も分からない凍った男の人なんだから、とりあえず『アイスマン』でいいじゃないですか」

そんな会話を交わしていると扉が開き、看護師が「警察の方がいらっしゃいましたよ」と顔をのぞかせた。

もともと診断がついている疾患による死亡か、検査データなどにより病死であることが明らかな場合を除き、医師は死亡診断書を発行することはできない。

まずは『異状死』として近隣の警察署に連絡を入れ、警察官に状況を確認してもらったうえで、死体検案書を書くことになる。

『アイスマン』の死亡確認を行ってすぐ、僕は所轄署である田無《たなし》署に一報をいれていた。

「また成瀬《なるせ》さんですかね」

控室から出て、『アイスマン』の遺体がある処置室に向かいながら鴻ノ池がつぶやく。

「たぶんな」

僕が異状死の連絡を入れると、ほとんどの場合、田無署刑事課の刑事である成瀬隆哉《りゅうや》が状況確認にやって来る。

成瀬はこれまで僕たち（というか僕の上司である天久鷹央《あめくたかお》）が首を突っ込んだ多くの事件を担当し、鷹央がそれを解決することで手柄を立てていた。しかしその代償として、統括診断部に関係する事件の際は、全て成瀬が担当するという不文律が田無署内で出来ているということだった。

また、成瀬に「またあなた方ですか？」「いい加減、素人探偵はやめてくれませんかね」「なんで、俺があなた方の担当になっているんですか」とか文句を言われるんだろうな……。

僕がそんなことを考えていると、長身で面長の若い男が姿を現した。年齢は僕と同じくらいだろうか。神経質そうな男の目が僕をとらえた。

「田無署の松本《まつもと》と申します。異状死の連絡を受けて参りました」

慇懃《いんぎん》に、しかしどこか面倒くさそうに言いながら、松本と名乗った刑事は警察手帳を提示する。

「あの……、今日は成瀬さんじゃないんですか?」

「成瀬は重要な捜査を終えたばかりで、こんなことにまで対応する余裕がないんです」

「重要な捜査ってなんですか?」

　思わず僕が訊《たず》ねると、松本の目付きが険しくなった。

「なんで部外者であるあなた方に、警察の内部情報を話さないといけないんですか」

　言われてみればその通りだ。鷹央に付き合わされて様々な事件の捜査に参加しているうちに、おかしな癖がついてしまったのかもしれない。

　僕は医者、探偵なんかじゃない。僕は医者、探偵なんかじゃない。僕は医者、探偵なんかじゃない……。

　胸の中で自分に言い聞かせていると、松本はこれ見よがしに大きなため息をついた。

「あなた方、タカタカペアとやらの噂は聞いていますよ。悪名高いですから。ただ、しょせんは素人です。犯罪捜査に口を出す権利なんてない。警視庁捜査一課や成瀬に一目《いちもく》置かれているといって調子に乗らないでください」

「ちょっと、なんですかそれは⁉　いくら何でも失礼じゃないですか」

　鴻ノ池が声を荒らげる。「おい、よせって」と止める僕を無視して、鴻ノ池は抗議を続けた。

「いまの統括診断部は鷹央先生と小鳥先生だけじゃありません。私もいます。だからタカタカペアじゃなくて、タカノイケトリオって呼んでくださいよ！」

そっちかよ……。

僕があきれ果てていると、松本は「知りませんよ、そんなこと」と面倒くさそうに手を振り、処置用ベッドに横たわっている遺体に視線を向ける。

「異状死の遺体というのはあれですか？」

「ええ、そうです」

まだ不機嫌そうにしている鴻ノ池を放っておいて、僕は松本とともにベッドに近づいていく。

「二十二時四十分くらいに、久留米池公園で意識不明の男性が倒れていると搬送要請がありました。二十三時前後の救急部到着時、心肺停止状態だったので、蘇生を試みましたが反応しませんでした。そのため、二十三時三十八分に死亡宣告をしました」

松本とともにベッドのそばに立った僕は、遺体にかかっている毛布をめくる。

「年齢は三十歳前後ってところか……。かなり瘦せているな」

松本はまじまじと遺体を眺めはじめた。

「一見したところ、致命傷になりそうな外傷などは見当たりませんね。先生の見解では、死因はなんでしょうか？」

「凍死です」

僕が答えると、松本は「凍死？」と眉を顰《ひそ》めた。

「それって、寒さで死ぬ凍死のことですか？　この熱帯夜に？」

「ええ、そうです。搬送時、この患者の体温は三十度を切っていました。そのため、低体温症による心肺停止と考え、蘇生術と並行して体温を上げるために様々な処置を行いましたが、最後まで体温が三十五度を超えることはありませんでした」

「なるほど、低体温症ね……」

松本はあごに手を当てたまま、数十秒、考え込むようなそぶりを見せたあと大きく頷いた。

「分かりました。それでは、死体検案書を書いてください。あとはそちらにお任せいたします」

「え？　お任せしますって、解剖は？」

僕が目を大きくして訊ねると、松本の眉がピクリと不機嫌そうに動いた。

「解剖って、司法解剖のことをおっしゃっているんですか？」

「そうですけど……」

警察が検視の結果、犯罪性が強いと判断した場合、司法解剖が行われる。医大の法医学教室などが解剖して、死因などを究明するのだ。

「この遺体のどこに、犯罪性があるっていうんですか？　特に外傷もないのに」

「熱帯夜に凍死したんですよ⁉　普通じゃありませんって。なにか事件に巻き込まれた可能性もあります」

僕が早口で主張すると、松本の目がすっと細くなった。

「それを判断するのは、私たち警察官です」

どすの利いた声ですごまれ、気圧《けお》された僕は思わず口をつぐむ。そんな情けない僕と松本の間に、すっと人影が入り込んできた。

「最終的に判断するのは警察官かもしれませんけどね、あなたたちよりずっと遺体を見て、人の死に立ち会ってきている私たち医師が『普通じゃない』と判断しているんですよ。その見解を無視して、『犯罪性がない』なんて決めつけていいんですか？」

僕の前に立ちはだかった鴻ノ池が、松本に向かってまくし立てる。正論をぶつけられた松本が「うっ」と言葉を詰まらせるのを見て、鴻ノ池はさらに早口で言葉を続ける。

「さらに言えばですね、小鳥先生は鷹央先生と一緒に、警察も解決できなかった事件の真相をいくつもあばいてきているんですよ。その小鳥先生が普通じゃないと言っているんですから、これは普通じゃないんです。きっと犯罪と関係しているんです。その男の人は殺されたんですよ。ね、小鳥先生」

振り返った鴻ノ池に水を向けられた僕は、「え……、それは……」と言葉を濁す。

「はっきりしてください！　優柔不断な男はモテませんよ。『いい人』止まりですよ」

「ほっとけ！」

これまで「小鳥遊君っていい人だけど……」とフラれた記憶が走馬灯のように脳裏をよぎり、胸が締め付けられる。

「……小鳥遊先生」

松本が低い声で言う。

「この遺体が犯罪に巻き込まれたと、何者かに殺害されたと、医師としてあなたは断定できるんですか？」

「断定できるってわけでは……」

うだるような暑さの夜に凍死するなど、余りにも異常だ。けれど、これが『犯罪だ』とか『殺された』と断定するほどの根拠があるわけではない。

「この遺体からは、酒の臭いがしますよね」

僕の態度を見た松本は、畳みかけるように声を張り上げる。

「死んでからかなり時間が経っているのに、こんなにはっきりと臭うということは、かなり飲んだってことだ。おそらく泥酔するぐらい。ですよね？」

「そうですね……」

「つまり、普通に考えたらこの男は深酒して前後不覚になり、服を脱いで公園で寝てしまった。その結果、凍死したということになりませんか？」

「いや、でも、こんな蒸し暑い夜に凍死ってことは……」

「ないと言い切れますか？」

かぶせるように訊ねられ、僕の喉の奥から「うっ」という声が漏れる。

「たしかに蒸し暑いですけど、全ての場所が暑いというわけではないでしょ。室内ではガンガン冷房がかかって、寒いぐらいの場所だっていくらでもある。そういうところで、裸で寝ていたら凍死する可能性もあるんじゃないですか？」

「そうですけど……」

完全に気圧されている僕が反射的に同意すると、松本の顔に勝ち誇るような笑みが浮かんだ。

「なら、やっぱり犯罪性があるとは断言できませんね」

「いえ、断言できないからこそ、司法解剖が……」

必死に食い下がると、松本はこれ見よがしにため息をついた。

「先生、そんな曖昧な根拠で司法解剖をしろって言うんですか？　司法解剖にはかなりの経費がかかる。それが税金から出ていることはご存知でしょ」

僕は「まあ……」と曖昧にうなずいた。

「だからこそ、司法解剖を行うかどうかの判断は慎重に行わなくてはならない。そして、その判断を任されているのは医師ではなく我々警察官です。私は警察官として、この遺体が犯罪に巻き込まれた可能性は低く司法解剖は必要ないと判断しました。以上です」

話は終わりというように、松本は両手を合わせた。

反論しない僕を見て、松本は「それでは失礼します」とわざとらしく一礼したあと、踵《きびす》を返して去っていく。

軽い敗北感をおぼえながら、僕はスーツの背中が去っていくのを見送った。

「……本当に解剖しないんですか？」

隣に立っている鴻ノ池が、じっとりとした視線を送ってくる。

「そんな目で見るなよ。決めたのは僕じゃなくて、あの刑事なんだから」

「もっと解剖するべきだって強く主張すべきじゃなかったんですか？　ここに鷹央先生がいたら、そうしていましたよ」

「だろうな……」

そして、松本と言い争いを続け、大きなトラブルになっただろう。ただ、鷹央ならどんな手を使ってでも最終的に司法解剖をさせた可能性が高い。

「自分の押しの弱さが情けないよ……」

僕がうなだれると、さすがに責めすぎたと思ったのか、鴻ノ池が背中を叩《たた》いてきた。

「その穏やかなところが小鳥先生の美徳でもありますからね。けど、やっぱりもうすこし押しは強い方がいいですね。というわけで、明日にでもさっそく鷹央先生にアタックしてくださいよ」

「……なんか話が脱線しはじめているぞ」

僕のつっこみを無視して、鴻ノ池はしゃべり続ける。

「鷹央先生って、攻めるときは強いけど、守りに入るとけっこう脆《もろ》いところがあるんですよね。特に恋愛関係ではあんまり経験なさそうなんで、押せば落とせますよ。もうぐいぐい押していって、うまくいったらそのまま押し倒して……」

鴻ノ池は胸の前で両拳を握りしめると、頬を紅潮させはじめた。

「脱線したまま暴走しだすんじゃない！」

僕が再度つっこむと、鴻ノ池は肩をすくめた。

「まあ、冗談はこれくらいにして、このあとどうするんですか？　この人、トランクス一枚で搬送されてきたから、身元が全く分かりませんよ」

「さっきの警察官に指示された通り、凍死ということで死体検案書を書いて、そのあと行旅死亡人《こうりょしぼうにん》として自治体、つまりは市役所に連絡だな」

「行旅死亡人？」

鴻ノ池がまばたきをする。

「身元不明で、遺体の引き取り手もいない死者のことだよ。身元不明の死者が出た場合の対応は、行旅病人及行旅死亡人取扱法によって定められている」

「へー、そうなんですね。知らなかった」

「身元不明遺体と関わることなんて、警察官でもなければほとんどないだろうからな。ただ、救急をしていると身元不明のまま搬送されてくる患者がいるから、対応はおぼえておいた方がいい」

鴻ノ池は「はい！」と元気よく答える。

普段からこれくらい素直だったらな……。目の前の『天敵』からこれまでに受けた仕打ちが脳裏をよぎり、鼻の付け根にしわが寄ってしまう。

「どうしたんですか？　渋柿を食べたような顔して。で、自治体に連絡したあとはどうなるんですか？」

「発見場所、死亡推定日時、あとは外見の特徴とか所持品が官報で公告されたあと、遺体は火葬される。遺骨は保存されて、引き取り手が現れるのを待つが、一定期間が経つとたしか埋葬されることになる」

「無縁仏ってわけですか……。なんか哀《かな》しいですね」

「そういうルールなんだよ……。仕方ないさ」

僕は口を固く結んで、ベッドに横たわる遺体に視線を送った。

3

「仕方ないわけあるかぁ！」

救急部に怒声が響きわたる。

「あぁ……。大声を出さないでください。頭に響くじゃないですか」

僕は弱々しく抗議しながら、痛むこめかみを押さえた。

熱帯夜に凍死した男が運ばれてきた翌朝の午前七時半過ぎ、もうすこしで当直が終わると僕がわずかに残った気力を奮い起こしていると、救急部の扉が勢いよく開き小柄な人影が飛び込んできた。それが数分前の出来事だ。

「おい小鳥、どういうことだ？」

救急部に乗り込んできた年下の上司である天久鷹央は、つかつかと近づいてくると、いきなり僕の鼻先に指を突きつけてきた。

「な、何のことですか？」

のけぞる僕の前で、鷹央は大きく両手を広げた。

「凍死した男のことに決まっているだろう」

「え、『アイスマン』の……？　なんで知っているんですか？」

「『アイスマン』か。言いえて妙だな。カルテを見たからに決まっているだろ。さっき起きて、何か面白い症例でもないかとカルテをダラダラと見ていたら、お前が昨晩診た患者の診療記録が見つかったんだ」

ああ、面倒くさいことになった。僕は胸の中でつぶやく。

熱帯夜に凍死した男。そんな摩訶《まか》不思議な症例を見つけたら、鷹央が食いついてくるに決まっている。

僕の予想通り、鷹央は前のめりになって口を開いた。

「なんで普通に死体検案書を書いて終わりにしようとしているんだ。昨夜はあんなに暑かったのに凍死するなんて普通じゃない。解剖して何があったのかちゃんと調べるべきだ」

「分かっています。僕もそう思って司法解剖するように刑事に言いましたよ。けれど、全然聞く耳を持ってくれなかったんです。仕方ないじゃないですか」

そうやって必死に言い訳する僕を、鷹央は「仕方ないわけあるかぁ！」と叱りつけたのだった。

「刑事がなんと言おうと、昨夜みたいなうだるような熱帯夜に凍死するなんてあり得ないだろ」

「そう言いました。ちゃんと言ったんです」

「……で、刑事はなんと返したんだ」

「いえ、クーラーの効いたところで泥酔して眠ってしまったら、真夏に凍死してもおかしくないとか……」

「お前、それで納得したのか？」

鷹央は剣呑《けんのん》な口調で訊ねてくる。

「いえ……、納得したわけではないですが、うまく反論もできず……」

「反論なんていくらでもできるだろ。その凍死した男が発見された場所は屋内だったのか？　そんなに冷房が効いていたという事実があるって言うのか？」

鷹央に詰問された僕の口から「あ……」という呆《ほう》けた声が漏れる。

「『あ……』てなんだよ。まさか、屋外で発見されたとか言わないよな？」

「……その、『まさか』です」

首をすくめながら僕が答えると、鷹央は「なにしているんだよ……」と顔を片手で覆った。

「で、でもですね。もしかしたら、室内で凍死して、それを誰かが外まで運び出したって可能性も無きにしもあらずというか……」

「その場合は死体遺棄罪だ。凍死しかけの状態で外に放置すれば、保護責任者遺棄罪。

どちらにしても犯罪性があり、遺体は司法解剖の対象になる。その男が犯罪に巻き込まれて命を落としていたとしたら、お前はその無念を晴らす最大の手がかりをみすみす失ったということになるんだ。診断医として大失態だ」

ぐうの音も出ない正論をぶつけられ、僕が黙り込む。

「まあまあ、鷹央先生、落ち着いて」

そばで話を聞いていた鴻ノ池が、僕たちの間に割って入る。

「昨日の当直、重症患者が立て続けに運ばれてきて、目が回るくらい忙しかったんですよ。しかも、刑事さんが検視にやってきたのが日付が変わったあとで、もうヘロヘロだったんです」

鴻ノ池が庇《かば》ってくれたおかげで少しは冷静さを取り戻したのか、鷹央の頰から赤みが引いていった。

「まあ、それなら疲れているのも仕方がないか……。ただ、だからってこんな簡単なことにも気づかないなんて、脳みそが筋肉でできているとしか……」

鷹央はまだぶつぶつと文句を言っているが、怒りはだいぶ収まったようだ。

僕は内心で鴻ノ池のフォローに感謝する。

「脳みそまで筋肉ってなんかいいですね！　きっと筋肉愛に溢《あふ》れていて、バディも素晴らしいんでしょうね」

筋肉フェチの鴻ノ池が、よく分からない盛り上がり方をしはじめた。

おそらく徹夜をした疲労で、テンションがおかしくなっているんだろう。当直明けには珍しくない。

「あー、なるほど。でもそこまで鍛えているなら、深夜まで働いてもへっちゃらなはずですよね。やっぱ、小鳥先生、もっとしっかりと刑事にアピールするべきだったんじゃないですか？　私が助太刀したのに、てんでダメダメだったし」

「フォローするなら最後までしてくれ！」

あと、「てんでダメダメ」とか言うな。

「……お前たち、さっきからなんかテンションが高くてうざい」

鷹央は心の底から面倒くさそうに言うと、「まあいいか」と後頭部で両手を組んだ。

「司法解剖がダメでも、解剖することはできるし」

「え？　解剖することができるって……」

僕が首をかしげると、鷹央は大きくかぶりを振った。

「そんなことまで分からないのかよ。筋トレしすぎて脳の筋肉にまで乳酸溜《た》まっているんじゃないか？」

「脳筋の話はもういいです。それより、どうやって解剖するつもりですか？　許可なしで解剖なんてできませんよ」

「なら、許可をとればいいんだよ。遺族からな。つまり……」

鷹央は唇の端を上げると、顔の横で左手の人差し指を立てた。

「行政解剖をするんだ」

行政解剖とは、検視により犯罪性はないと判断された異状死の遺体に対する制度だ。都道府県が設置している監察医や、大学の法医学教室が、基本的に遺族の許可のもとに解剖を行い、死因を解明する。

「鷹央先生、行政解剖はできません」

僕が指摘すると、鷹央の目が訝《いぶか》しげに細められる。

「なんでだよ？　あんな暑い夜に、凍え死んだんだぞ。身内なら、なにが起きたのか知りたがって当然だろ。きっと解剖を許可してくれる」

「その解剖を許可する『身内』がいないんです」

僕の答えに、鷹央の眉がピクリと動いた。

「遺族に連絡が取れないのか？」

「いいえ、それどころか誰が遺族なのか、そもそも遺族が存在するのかさえ分かっていません」

「まさか、……行旅死亡人？」

鷹央が低い声で言う。僕が頷くと、鷹央の表情が歪《ゆが》んだ。

「身元を示すようなものはなにもなかったのか？」

「発見時、患者は下着一枚だけ身に着けた状態で倒れていました。救急隊が周囲に所持品がないか探しましたが、見つけられなかったとのことです」

「役所への連絡は？」

「さっきしました。今日の夕方あたりに遺体を引き取りに来るということです」

「自治体に行旅死亡人として引き取られた遺体は、速やかに火葬されてしまう。それじゃあ、死因は永久に闇に葬られてしまうぞ。何らかの事件に巻き込まれた可能性が十分あるのに」

焦っているのか、鷹央は早口になる。

「仕方がないですよ。そういうルールなんですから」

「……仕方ないわけあるか」

さっきと同じセリフを口にしながら、鷹央は僕の目をまっすぐに見つめてくる。強い意志のこもった眼差《まなざ》しに圧倒され、僕は喉を鳴らして唾を呑む。

「私たちは診断医だ。患者を診察し、そして診断を下すことが仕事だ。そうだな」

僕は「……はい」とおずおずと頷く。

「その診断する対象は、生きている患者だけでいいのか？」

鷹央のセリフに虚を突かれ、僕は「それは……」と言葉を濁す。

「たしかに命を落とした患者には、あらためて診断を下しても治療ができるわけではない。生きている患者に比べれば優先度が下がるだろう。しかし、医学という学問は死亡した患者から様々なことを学び、進歩してきた。『屍《し》は師なり』だ」

僕は唇を固く結ぶ。

『屍は師なり』。それは医学部生が解剖学実習を行う際、まず最初に教わる言葉だった。

医学生が解剖する遺体は、献体されたものだ。命を落としたあと、医学のために自らの体を使って欲しいと、生前に意思表明をした方々の遺体を解剖し、医学生は人体の構造を深く学んでいく。

さらにある程度の規模の病院では、病理解剖が行われている。これは死因を調べるための司法解剖や行政解剖とは違い、医学の進歩のために行われるものだ。

解剖を行うことで、患者の疾患がどのように進行したのか、治療がどの程度の効果を上げていたのかを調べ、そのデータを次の患者の治療に生かす。

「分かっただろ。死亡した患者への診断、それも診断医の大切な仕事だ。その診断が他の誰かを救うかもしれないし、もし事件性があった場合は、死亡した患者本人の無念を晴らすことになるかもしれない。分かるな?」

僕は神妙な態度であごを引いた。

「でも、このままじゃ解剖はできませんよ。どうするんですか」

鴻ノ池が訊ねると、鷹央はシニカルに口角を上げた。

「簡単だ。自治体が遺体を持っていく前に『アイスマン』の身元を調べればいい。そうすれば、遺族に連絡をとって行政解剖を許可してもらえるはずだ」

「けど、身元を示すものをなにも持っていなかったんですよ」

僕の指摘に、鷹央はふっと鼻を鳴らした。

「なに言っているんだ。しっかり持っていたさ。その患者がどんな人物なのか、なによりも如実に語るものをな」

なぞなぞのような問いかけに、僕は眉をひそめる。

「それはまさに情報の塊だ。その人物の人生がそこに刻まれているんだ」

人生が刻まれている情報の塊……。そこまで考えたところで僕ははっと息を呑む。

「体！　遺体そのものが身元を示す手がかりってことですか？」

「その通りだ」

鷹央は指を鳴らす。

「私たち診断医は日常的に、視診、聴診、触診など五感を使って、患者の体から情報を得て、診断の手がかりとしている。その能力を使えば、遺体からも様々な情報が得られるはずだ。遺体の身元に辿《たど》り着くための手がかりもな。で、遺体はどこにある？」

「地下の霊安室に安置されています」

鴻ノ池が答えたとき扉が開き、日勤の医師たちがぞろぞろと入ってきた。時計を見ると、いつの間にか針は八時を指していた。交代の時間だ。

「よし、ちょうどいいな。それじゃあ、『アイスマン』とご対面といくか」

鷹央は高々と拳を突き上げた。


毛布をかけられた遺体がベッドに横たえられている。その顔には白いガーゼが被せられていた。

線香の匂いが鼻をかすめる。救急部での勤務を終えた僕は、鷹央と鴻ノ池とともに、地下にある霊安室へとやってきていた。

「これが『アイスマン』か」

鷹央は大股にベッドに近づくと、両手を合わせて黙禱《もくとう》をした。慌てて僕と鴻ノ池もそれに倣う。

「さて、それじゃあ失礼させてもらうぞ。お前の身元を調べるためだ。我慢してくれよ」

鷹央は声をかけると、遺体にかかっていた毛布とガーゼを取り去った。痩せた男性の遺体が露《あら》わになる。その皮膚はすでに死者特有の青黒さを帯びていて、背中側には紫色の死斑が浮かび上がっている。

「年齢は三十代といったところか。かなり痩せているな」

つぶやきながら、鷹央は隅々まで見つめていく。その様子を霊安室の後方で眺めていると、鴻ノ池が腕を叩いてくる。

「なんだよ？」

ほぼ徹夜での当直明けの疲労で、声に張りが出ない。

「鷹央先生、どうやって身元を調べるつもりなんですかね？　遺体を見るだけでそれが誰だか分かったら凄《すご》くないですか！」

耳元で興奮した声を出され、僕は顔をしかめる。

「さっきから、テンションがいつにも増して高すぎてうざい」

「なんか当直明けってハイになりません？　こう、原始の生命力が体の底から湧き上がってくるような」

「それ、消える前のろうそくが強く輝くようなやつだからな」

そして、昼飯を食べ終えた後ぐらいに燃え尽きて、完全に電池切れになるのだ。

「あー、ろうそくいいですねぇ。アロマキャンドルとか灯《とも》してゆっくり癒されたい」

「やっぱり疲れ果ててるじゃないか。火事にならないように気をつけろよ」

疲労困憊《こんぱい》のせいか、内容のない会話を交わしている僕たちを尻目に、鷹央は遺体を観察し続ける。

「肋骨《ろっこつ》が浮き出るほど瘦せているところを見ると、肉体労働者ではないな。死亡してから時間が経っているので皮膚の変色がはじまっているが、手の甲と体幹で皮膚の色はほとんど変わらない。つまり日焼けはしていないということだ。営業職など、外を歩くような仕事でもないだろう」

「ということはオフィスワーカーでしょうか？」

僕は近づいて、鷹央の肩越しに遺体を眺める。

鷹央は「ふむ……」と小さく声を出すと、男の手を取って顔を近づける。

「爪はそんなに長くないな。パソコンを使う仕事としても矛盾はしない。ただ、手にかなりの傷がある。特に左手に傷が目立つな」

「それでなにが分かるんですか？」

僕が訊ねると、鷹央は振り返って面倒くさそうに手を振った。

「いまは情報を集めているところだ。黙って見ていろ」

「すみません……」

首をすくめる僕の前で、『アイスマン』の遺体の観察を再開した鷹央は、「ん？」とつぶやくと、遺体の腹部に顔を近づけた。

「どうしたんですか？」

鴻ノ池が声をかける。

「ここを見ろ」

鷹央は遺体のへその横を指差した。そこにはうっすらと蜘蛛《くも》の巣のような毛細血管が浮き上がっていた。

「これって……、クモ状血管腫？」

僕がつぶやくと、鷹央は「ああ、そうだ」と小さくうなずいた。

「クモ状血管腫って確か……」

鴻ノ池が唇に指を当てる。

「肝臓の門脈圧が上昇しているときに現れる特徴だな。門脈に流れ込めなかった血液が流入した毛細血管が拡張し、蜘蛛の巣のように皮膚に浮き上がって見える」

「門脈圧が亢進《こうしん》しているっていうことは、肝臓がおかしいってことですよね」

「ああ、そうだ」

鷹央は遺体の目元に手を伸ばすと、閉じられていた瞼《まぶた》を指先で持ち上げた。

「やっぱりな……」

鷹央は唇に笑みを湛《たた》える。遺体の眼球、その白目の部分がわずかに黄色がかっていた。

「……黄疸《おうだん》」

僕の口から声が漏れる。鷹央は満足そうにあごを引いた。

「そう、黄疸だ。肝機能障害などにより代謝物質であるビリルビンが蓄積し、それにより皮膚や眼瞼結膜《がんけん》が黄色く変色する状態だな。肝機能障害と門脈圧の亢進、そこから考えられる疾患は一つ……」

鷹央は左手の人差し指をぴょこんと立てる。

「肝硬変だ」

「肝硬変ですか？」鴻ノ池が首を傾けた。「肝硬変ってもっと高齢の患者がなるイメージがありました」

「肝硬変の最大の原因はB型肝炎やC型肝炎ウイルスだが、その場合、慢性肝炎から肝硬変に至るのにかなり時間がかかる。この男くらいの年齢で肝硬変まで至るのは珍しいな。ただ原因がウイルス以外だったら充分にありえることだ」

「ウイルス以外の肝硬変の原因って……」

鴻ノ池は唇に指をあてて考え込んだあと、胸の前で両手を合わせる。

「アルコール性肝硬変！　そう言えばこの人搬送されてきたとき、すごくお酒臭かったです！　飲みすぎで肝硬変になったんですね」

「酒臭かった？」

鷹央は眉をひそめると、振り返って僕を睨《にら》みつける。

「そういう重要な情報をなんで、前もって私に教えないんだ。カルテにも書いていなかったぞ」

「す、すみません。いままで忘れていたというか……、重要だと思わなかったもので……」

僕が首をすくめると、鷹央の目つきが鋭さを増す。

「いつも言っているだろ。どんな些細《ささい》な情報も真実に繋がっている可能性がある。一流の診断医になりたいなら、ありとあらゆる情報に対して、常にアンテナを張っておくべきなんだ」

「はい、気をつけます」

僕がうなだれていると鴻ノ池が声を上げる。

「ということはやっぱりこの人はアルコール性肝硬変なんですね。今回も飲みすぎて前後不覚になって服を脱いで裸で外を徘徊《はいかい》していたところ、何かが起きて凍死した。そういうことですかね？」

「いやそれは分からない。アルコール性肝硬変になる者の大部分はかなり酒に強いんだ。下戸だと肝硬変になるほど飲む前に潰れちまうからな」

「泥酔していたわけではないってことですか？」

鴻ノ池が呟《つぶや》くと鷹央はシニカルな笑みを浮かべた。

「もしくは、この男の肝硬変の原因がウイルスでもアルコールでもないか、だな。おい、小鳥」

唐突に声をかけられ、僕は「はい、なんでしょう」と背筋を伸ばす。

「肝炎ウイルスやアルコール以外の肝硬変の原因を挙げてみろ」

「ウ、ウイルスでもアルコールでもない？」

肝硬変の大部分は、その二つが原因で生じる。それ以外に肝硬変の原因となるものといえば……。

睡眠不足で動きが悪くなっている脳を、僕は必死に働かせる。

「えっと、自己免疫疾患、胆汁うっ滞、うっ血性……。あとはたしか、代謝性疾患とか薬剤によるものとか……」

僕が指折り答えていくと、鷹央は満足げにうなずいた。

「及第点だな。あとは脂肪肝の者に生じる、非アルコール性脂肪性肝炎などが挙げられる」

なんとか最低限は答えられた。僕が安堵《あんど》の息をはいていると鷹央はさらに質問をぶつけてきた。

「では問題だ。この遺体の肝硬変の原因としてもっとも考えられるのはなんだ」

「え、え……」

予想外の追加質問に僕はしどろもどろになる。

「何を泡食ってるんだよ。お前の目の前に手がかりがあるだろう」

「手がかり?」

「そうだ。この遺体には肝硬変の原因を特定するための手がかりがある。それを見つけてみろ」

「……はい。分かりました」

返事をした僕は、鷹央と入れ替わるようにベッドのそばに立ち、遺体を見下ろした。クモ状血管腫や黄疸はすでに指摘されている。それ以外の特徴……。

意識を集中させながら遺体を観察していた僕は、ふとその手に違和感を覚える。無数の細かい傷がそこに刻まれていた。特に左手に傷が多い。

そういえば、鷹央もさっきまじまじと遺体の手を見つめていた。

これが手がかり……?

僕は両手を確認する。かなり昔に負ったであろう傷痕と、まだ治りかけの傷が混在している。

「両手に傷があります」

手を見つめ続ける僕の肩越しに、鴻ノ池が覗《のぞ》き込んできて眉根を寄せた。

「本当だ。ちょっと異常な量ですね。これって、もしかして……自傷ですか?」

「いや、自傷だったら利き手じゃない側にだけ集中するのが普通だ。けれど、この遺体の場合、たしかに左手の方に多いけど、右手の甲にもかなり傷がある。意図的にやったものとは思えない」

「アルコール依存症で手が震えた状態で、なにか危険な作業をしていたとかですか？　やっぱりアルコール性肝硬変じゃないんですか？」

鴻ノ池の問いに、僕は口元に手を当てて考え込む。

「可能性はあるけれど、アルコール依存症患者の手が震えている状態ってことは、禁断症状が出ているってことだ。その状態で危険な作業をするって、ちょっとしっくりこないんだよな」

「でも、他の原因でこんなに手に傷がつくってあり得ます？」

「そうだな……。末梢《まっしょう》神経障害で感覚が鈍くなったりすると、手にけがをすることが多くなるな」

考えをまとめるようにつぶやいたとき、特徴的な傷痕が目に留まる。

「火傷《やけど》……」

無意識に口から言葉が漏れる。

遺体の両手には明らかに火傷によるものと思われる傷痕が、かなりの数、刻まれていた。

「おお、よく気づいたな」

それまで黙っていた鷹央が上機嫌に言うのを聞いて、僕はこの火傷こそが大きな手がかりであることを確信する。

「両手の甲にかなりの火傷が見えます。特に左手に多いですが、右手にもあります。というか、右手の甲の傷はほとんど火傷によるもののようです」

鷹央は「続けろ」と、満足げに頷く。

「左の甲には線状の細い火傷がかなりあります。普通の火傷ではこういう形状になることは少ないはずです。たぶん、なにか特殊な器具によるもの……」

喋《しゃべ》りながら僕は思考を走らせていく。傷の形状から細くて高熱になる器具を使っていたことになる。それに該当するようなものは……。

そこまで考えたとき、僕ははっと息を呑む。

「半田《はんだ》ごて!」

電子回路などの細かい部品の溶接に使う半田ごてなら、この火傷の形状と完全に一致する。

「正解だ」

鷹央は指を鳴らした。

「この男は末梢神経障害の状態で、右手で半田ごてなどを使う細かい作業を行っていた。だからこそ、左手を中心に切り傷や火傷の跡が目立つんだ」

「ということは、この人はなにかの職人さんだったってことですか？」

鴻ノ池があごに手を当てる。

「職人、もしくは何らかの研究職の可能性が高いな。もちろん、趣味で半田ごてを使うような工作をしていたということもあり得なくはないが、ここまで傷を負ってまで続けていることから、可能性として低いだろう」

「なんとなく、職業が絞り込まれてきましたけど、これだけじゃ身元は分かりませんよね」

鴻ノ池が言うと、鷹央は「そうだな」とあごを引いた。

「まだ身元を特定するには不十分だ。さらなる情報を得る必要がある」

さらなる手がかり。ということは、まだこの遺体には重要な手がかりが隠されているということだ。

疲労と睡眠不足のせいで、頭蓋骨に漬物石が詰まっているかのように重い頭を振って、僕は再び遺体の観察をしていく。

左手はしっかりと調べた。とすると、次は……。

遺体の右手に意識を集中させた僕の口から、「ん？」という声が漏れた。

「どうした？」

鷹央がどこか楽しげに訊ねてくる。

「いえ、右手の火傷ですけど、左手に多くある火傷とは形状が違いますね。なにか、滴状《しずく》というか、水滴がついたような……」

「熱いお湯でついたものってことですか？」

鴻ノ池が小首をかしげた。

「いや、いくら沸騰したお湯でも、こんなちょっとした滴で火傷を負うとは思えない。少量の液体で火傷を負うとしたら……」

そこまで言ったところで僕は大きく目を見開く。

「化学熱傷！」

強酸や強アルカリの溶液が皮膚に触れた場合、たとえ少量でも強い化学反応を起こして火傷が生じることがある。

そのとき、鷹央が両手を打ち鳴らした。

「よくやった。悪くない観察眼だ。診断医として成長してきたな」

「いえ、そんな。鷹央先生に教わったおかげですよ」

珍しく鷹央に褒められた僕は、気恥ずかしくなって頭を掻《か》く。

「そう、すべては私という天才がわざわざ教育してやったおかげだ。しっかり感謝しろよ。具体的には、『アフタヌーン』のショートケーキを捧《ささ》げて感謝を表すべきだ」

「……前向きに検討します」

せっかくの感謝と尊敬の気持ちが一気に吹っ飛んでしまう。渋い顔になった僕のそばで、鴻ノ池が声を上げた。

「化学熱傷がたくさんあるってことは、なにか危険な薬品を日常的に使っていたってことですよね。でもそれだけでこの人が誰かまでは分からないんじゃないですか？」

たしかにそうだ。半田ごてと化学薬品を使っているということで、この男の職業はだいぶ絞れる。しかし、職業が分かったからといって、身元まで辿り着けるとは思えなかった。

こめかみに手を当てる僕に、鷹央は「おい」と声をかけてくる。

「私がお前に課した課題は何だったか思い出してみろ」

課題……僕は記憶を探る。

「肝硬変です。肝硬変の原因を突き止めることです」

「その通りだ。これまでの情報でこの男がなぜ肝硬変になったかそれを解き明かしてみろ」

この遺体が肝硬変になった理由……。末梢神経障害、化学熱傷……。

頭の中で様々な情報が有機的に絡み合って一つの解答を紡ぎだしていく。

「薬剤性肝硬変！」

「その通りだ！」

鷹央は指を鳴らす。

「有機溶剤の中には肝障害を引き起こし、長期に暴露されると肝硬変となる薬剤が存在する。そしてそれらは末梢神経障害を起こすことも少なくない。以上よりこの男は薬剤性肝硬変を患っていた可能性が高いと判断できる」

「すごーい。本当に視診だけでそこまで分かるもんなんですね！」

鴻ノ池が感嘆の声を上げると、鷹央は得意げに鼻を鳴らした。

「普通の医者にはできないさ。私のような天才だからこそ可能な芸当だな」

いや、僕もなんとかそこまで辿り着いたんですけれど……。

心の中で少しだけ不満をおぼえつつも、僕は鷹央の能力に感動をおぼえていた。きっと彼女の超高性能な脳髄は、一通り観察した時点で、この遺体が薬剤性肝硬変を患っていたと診断を出したのだろう。とんでもない観察力だ。

「それで、ここからどうやって身元までたどりつくんですか？」

鴻ノ池が興奮気味に訊ねた。

「ここから先は個人の力では難しい。ただ組織の力を使えば別だ」

「組織の力ですか？」

意味が分からず僕が聞き返すと、鷹央はにやりと口角を上げた。

「この天医会総合病院は一帯の地域医療の要だ。東久留米市に住んでいる者の大部分は、一度はうちの病院を受診したことがある」

鷹央は脇に置いていたバッグからタブレット状の電子カルテをとりだした。

「肝硬変の患者は珍しくないが、薬剤性となると話が変わってくる。肝硬変の原因で薬剤性が占める割合は一％に満たない。診療記録から薬剤性肝炎の患者をリストアップし、そこに三十前後の男性、有機溶剤中毒による末梢神経障害という条件を加えればかなり絞られてくるはずだ」

鷹央は舌なめずりをしながら電子カルテを操作し続ける。数十秒後、鷹央は「見つけた……」と低い声でつぶやくと、僕たちにタブレットを見せた。

そこには『天王寺《てんのうじ》龍牙《りゅうが》』と記されていた。

「両手の震えと感覚障害で三年前に神経内科に紹介されて、有機溶剤による末梢神経障害と診断。血液検査で初期の肝硬変が疑われて、消化器内科への受診を勧められたが、それを拒否してその後は来院していない。年齢は受診時に二十八歳で、現在は三十一歳。確かに完璧に条件に合いますね」

僕はカルテを読み上げる。

「けど、偶然条件が一致しただけの可能性もありますよね？」

「まあそのとおりだな。だから最終確認だ。これだけ珍しい名前だ。たぶんヒットするだろう」

鷹央は白衣のポケットからスマートフォンを取り出すといそいそと操作しだす。十数秒後、鷹央は「見つけたぞ」と首を軽く反らしながらスマートフォンを高々と掲げた。

ディスプレイに白衣を着た陰気な若い男が映り、その下に『帝都大学理工学部電子工学科　大学院生　天王寺龍牙』と表示されている。

「あ、この人……」

鴻ノ池は目を大きくすると、スマートフォンとベッドに横たわる遺体を交互に指差す。写真よりは老けているが、遺体と写真に写っている男は間違いなく同一人物だった。

「帝都大の卒業生ということは、私の先輩にあたるっていうわけだな。良かったな先輩。私がお前を家族に会わせてやる。そしてどうしてお前が命を落としたのか、しっかりと解き明かしてやるからな」

やわらかい声で、鷹央は遺体に、天王寺龍牙に語りかけた。

4

「……おい、起きろ。……いつまで寝ているんだよ」

遠くから声が聞こえてくる。

僕は目を閉じたまま、うめくように言った。

「あと五分……」

「寝ぼけているんじゃない！」

耳元で声が響くと同時に、顔に柔らかい衝撃が走った。驚いた僕は目を見開いて上体を起こす。

ここは……。霞がかかっているように思考が回らない頭を振りながら、あたりを見まわす。見慣れた空間が網膜に映し出された。

薄暗い空間にグランドピアノや巨大な壁掛け液晶テレビが置かれ、やけに武骨なデスクトップパソコンが設置されたデスクには、三面鏡のようにディスプレイが並んでいる。その部屋のいたるところには、書籍が高く積まれた〝本の樹《き》〟が生えていた。

鷹央の自宅兼、統括診断部の医局である〝家〟。鷹央が理事長の娘という立場をめいっぱい使って病院の屋上に建てた建物。その窓際に置かれているソファーに僕は横たわっていた。

「あれ、なんでここに……」

かすむ目をこすった僕は、ソファー用のクッションがそばの床に落ちていることに気づく。どうやら、これを顔面に投げつけられたらしい。

そんなことをする人といえば……。振り返ると、背後で『犯人』が腰に手を当てて仁王立ちをしていた。

「なにするんですか、鷹央先生。びっくりしたじゃないですか」

「お前がなかなか起きないからだろ。まったく、人の家ででかいいびきをかきながら気持ち良さそうに眠りやがって」

「え、僕、いびきかいてました？」

「ああ、うるさかったから、お前がいびきをかき出すたびに、クッションを顔に押し当てて黙らせてやったよ」

「殺す気ですか！」

僕が声を裏返すと、鷹央は手をひらひらと振る。

「冗談だよ。本気にするな。いびきをかかなくなるまで、鼻をつまんでやっただけだ」

「……それもどうかと思いますけど」

そういえば、海で溺れる夢を見たような気がする……。

「けど、なんで僕、こんなところで寝ているんでしたっけ？」

いまだに状況がよく把握できない。

「まだ寝ぼけているのかよ。天王寺龍牙の遺族を待っていたんだろ」

ああ、そうだった。寝る前の記憶が一気に蘇《よみがえ》ってくる。

霊安室で『アイスマン』の身元が判明したあと、診療記録に載っている緊急連絡先に電話をして遺族と連絡を取った。天王寺龍牙の父親だという男性は、息子の訃報にかなり動揺しながら、すぐにこちらに向かうと言ったが、茨城に住んでいるため、病院に着くのは早くても午後三時過ぎになるということだった。

ちなみに……遺族との連絡は全部、疲労困憊の僕が引き受けた。

『常識』というものと極めて仲の悪い人物である鷹央に任せたりしたら「お前の息子が死んだ。すぐに来い」などと言いかねない。

相手にできる限りショックを与えないためにも僕が遺族への電話をし、さらに身元が判明したので行旅死亡人として遺体を回収する必要はなくなったことなどの、市役所を含めたこまごまとした連絡も引き受け、すべて終えた頃には午前十時半を過ぎていた。

やってくる遺族への説明も鷹央に任せるのは不安だったし、なにより救急部で看取った者の責任として自分も立ち会いたかった。なので自宅に帰らずこの〝家〟で仮眠をとって当直の疲れを癒しながら、遺族を待つことにしたのだ。

「遺族が到着したんですか？」

状況を把握した僕が訊ねると、鷹央は「ようやく思い出したか」と呆《あき》れ声で言う。

「いま正面受付に来ているらしい。さっさと行くぞ。舞には連絡した」

鷹央はあごをしゃくると、そばにあるスタンドハンガーにかけてあった白衣をまとって玄関へと向かう。

「ああ、ちょっと待ってくださいよ」

僕は慌ててソファーから飛び起きると、鷹央のあとを追ったのだった。


「この度は御愁傷様です」

ベッドのそばに立つ、くたびれたブラックスーツ姿の高齢の男性に、僕は頭を下げる。そばにいる鷹央と鴻ノ池もそれに倣った。

数分前、僕は天王寺龍牙の父親だというこの男性と正面受付で会った。

自己紹介をする僕に、彼は「龍牙の父、天王寺正一《しょういち》です」と慇懃に頭をさげると、すぐに遺体との面会を希望した。

僕は研修医寮から慌ててやってきて合流した鴻ノ池とともに、正一を地下の霊安室に案内した。

霊安室に着いて遺体の顔にかかっているガーゼを取り去ると、正一の表情筋が激しく蠕動《ぜんどう》しはじめた。

「息子さんで間違いないですか？」

僕の問いに、正一は嗚咽《おえつ》をこらえるかのように固く唇を結んで頷いたのだった。

「昨晩の午後十一時頃、この近くにある久留米池公園で倒れている息子さんが発見され救急要請されました。当院に搬送時、すでに心肺停止状態だったため蘇生術を施しましたが、残念ながら心拍が再開することはありませんでした。そのため十一時三十八分、死亡確認をいたしました」

僕の説明を、正一は息子の顔を見つめたまま聞く。

「息子は……、龍牙はどうして死んだんですか？」

「おそらく、凍死と思われます」

「凍死？」

正一の眉間にしわが寄った。

「こんなに残暑が厳しいのに凍死って、どうして……」

「それは分かりません。私たちも不思議に思っています」

答えた僕は、視界の隅で鷹央が前のめりになったことに気づき、慌てて掌《てのひら》を向けて制する。

息子が不可解な状況で命を落としたことに困惑している父親に、いきなり「解剖させてくれ！」なんて言えるわけがない。さらに混乱に拍車をかけることは火を見るより明らかだ。

「龍牙は……、何かを言い残したでしょうか……？」

鷹央は不満げな表情を浮かべながらも、開きかけていた口を閉じた。

喉の奥から声を絞り出すように、正一は訊ねる。

「いいえ。先ほど申し上げたように、当院に搬送された時点で息子さんは心肺停止で、完全に意識がない状態でしたので」

「そうですか……」

正一は再びうなだれると、息子の頬をいとおしそうに撫《な》でた。

「なんで凍死なんて……、お前にいったい何があったんだ……」

痛みに耐えるような表情を浮かべる正一に、僕は静かに語りかける。

「ご許可を頂けるなら、息子さんがどうして亡くなったのか、解剖して詳しく調べることも可能です。どうなさいますか？」

「かいぼう……？」

はじめて聞く言葉を口にするように、正一はたどたどしく聞き返してきた。

「はい。行政解剖という制度です。監察医が解剖を行うことで、息子さんがどうして熱帯夜に凍死したのか調べてくれます。もちろん解剖後のご遺体は、綺麗《きれい》に整えた上でご遺族の元にお戻しいたします」

正一は再び「かいぼう……」とつぶやくと、呆然《ぼうぜん》と息子の遺体を見つめる。僕はせかすことなく正一の答えを待った。

部屋に重い沈黙が満ちる。

数分後、正一が蚊の鳴くような声で沈黙を破った。

「解剖は結構です。このまま連れて帰ります」

「そんな！」

鷹央が目を剝《む》いて一歩前に出る。

「あんな蒸し暑い夜に凍死したんだぞ。気にならないのか？」

「酒に酔って、どこか冷えたところで気絶でもしたんでしょう。馬鹿な息子だ……」

正一は拳を握りしめる。

「そうじゃない。たしかに搬送されたとき、お前の息子は裸で、強いアルコール臭を発していた。だが、発見された場所は屋外だ。昨日の気温で凍死するなんてありえない」

「……どうでもいい。息子が死んだことにかわりはないんだ」

「どうでもよくない！」

鷹央は鋭く言う。正一は涙で潤んで充血した目を大きくした。

「熱帯夜に凍え死ぬなんてあまりにも異常だ。しかも服が剝ぎ取られていたんだぞ。犯人が身元を隠そうとした可能性もある」

「犯人……？」

いぶかしげに正一が聞き返すと、鷹央は大きく頷いた。

「そうだ。お前の息子は、何らかの事件に巻き込まれた可能性があるんだ」

「息子が……殺されたかもしれないっていうんですか？」

正一の声が震える。

「それを調べるためにも、解剖して死因をはっきりさせる必要があるんだ」

力強い鷹央の言葉を聞いた正一の顔に、逡巡《しゅんじゅん》が浮かぶ。十数秒、黙り込んだあと、彼はゆっくりと口を開いた。

「やはり、解剖はけっこうです」

「どうして⁉　息子が誰かに殺されたかもしれないんだぞ！　このままだと、その犯人がのうのうと逃げおおせるかもしれないんだぞ」

興奮気味にまくしたてる鷹央を、僕は「先生、落ち着いてください」といさめる。

「正一さんは息子さんを亡くしたばかりで苦しんでいるんです。あまり追い詰めるようなことは言わないであげてください。ゆっくり考える時間を……」

鷹央は眉間に深いしわを寄せると、「分かったよ」と僕の顔を押しのけた。

「……私は茨城で農業をしています」

自分の気持ちを確かめるように、正一は胸に手を当て、静かに語りはじめた。

「龍牙の母親は、あの子を産んですぐに亡くなりました。だから私は龍牙を、男手ひとつで一生懸命育ててきました。実家が貧しかったため、私は進学することができず夢を諦め、中学を卒業後、家業の農業を手伝わなくてはなりませんでした。だから、息子にはそんな苦労をさせたくないと、必死に働きました」

正一は天井辺りに視線を彷徨《さまよ》わせる。きっとそこに息子との思い出を見ているのだろう。

「あの子は本当に優秀で、そのうえ一生懸命に勉強して、帝都大に入学したんです。私は本当に鼻が高かった。私の夢を息子に託せると思った。龍牙はこう言っていました。たくさん勉強をして、将来は私の手伝いをしてくれると。私はずっとそれを楽しみにしていたんです……。息子と一緒に夢を叶《かな》えることを……」

そこで感極まったのか正一は口元を押さえて俯《うつむ》く。僕は口を固く結んで正一の次の言葉を待った。

「大学院を卒業した龍牙は、メーカーに研究職として就職しました。そこで色々と学んで、いつかは茨城に戻ってきて一緒に働けると思っていたんです……。それなのにこんなことに……」

正一の食いしばった歯の隙間から、弱々しい嗚咽がもれ出す。

「息子はいまもメーカーに勤めていたのか？」

鷹央が訊ねる。その口調にはさっきまでの急《せ》かすような調子はなかった。

「五年ほど勤めたあと、龍牙は会社を辞めました」

正一は弱々しく首を横に振る。

「実家に戻ってきたのか？」

「いいえ。戻ってきては来ませんでした。会社を辞めてからは連絡もまれになり、あの子がどこで何をしているのか、私はずっと心配していました。けど信じていたんです。いつかはあの子と一緒に働けると。一緒に夢を叶えられると。なのに……」

正一は両手で顔を覆うと崩れ落ちるようにその場にひざまずき、肩を震わせはじめる。その様子を僕たちはただ黙って見つめ続けた。

「……なんでこんなことに」

声を絞り出した正一に、鷹央は近づく。

「それを知るためにも解剖が必要なんだ。どうか行政解剖に同意してくれ。そうすれば、お前の息子に何があったのか、私が全て明らかにしてやる」

「あなたが？」

正一は顔を上げ、泣き濡《ぬ》れた瞳で鷹央を見上げる。

「私は天才だ。これまで何回も、警察でも解決できなかった事件の真相を暴いてきている。なぜお前の息子が熱帯夜に凍え死んだのか、もし事件だとしたら、誰がそんなことをしたのか、私がその真相を突き止めてみせる。ただそのためには、解剖が必要なんだ。分かってくれ」

鷹央はそのネコを彷彿《ほうふつ》させる大きな双眸《そうぼう》で、正一の視線をまっすぐに受け止めた。

「……ありがとうございます」

大きく息をついたあと、正一は頭を下げる。

「分かってくれたか。それじゃあ、すぐに行政解剖をできるように手続きを……」

鷹央がそこまで言ったところで、正一は立ち上がって掌を突き出した。

「いいえ、やはり解剖はお断りします」

「どうしてだ⁉」

鷹央の声が裏返る。

「解剖しなければ、お前の息子に何が起きたのか知ることができないんだぞ。それでいいのか」

「なにが起きたかが分かったところで、なにも意味がない」

正一は弱々しくかぶりを振った。

「意味はある。もしこれが事件なら、もし誰かがお前の息子を殺したんだとしたら、真相をあばくことで、そいつを罰することができるんだ」

「犯人を罰したら、息子が生き返るんですか？」

正一が穏やかに発したセリフに、鷹央は「うっ」と言葉を詰まらせる。

「望んだ形ではないけれど、息子が私の元に戻ってきてくれた。それだけで私には充分です。龍牙は東京でいろいろと苦労したはずだ」

ベッドに横たわる遺体に、正一は慈愛に満ちた眼差しを向ける

「これ以上、つらい思いをさせたくない。体を切り刻んだりせず、このまま弔ってやりたいんです。きっと龍牙もそれを希望していると思うんです。わがままかもしれませんが、どうかご理解ください」

正一は薄くなった頭頂部が見えるほど、深々と頭を下げた。その姿を眺めながら僕は黙って鷹央の回答を待つ。

一年前に出会った頃の鷹央なら、正一のこの判断をよしとはしないだろう。「死んだ人間に意志なんてない。だから希望なんて存在しない」。生まれながらの性質として、他人の気持ちを慮《おもんぱか》ることが困難な彼女は、きっとそんなふうに答えたはずだ。

数十秒の沈黙のあと、鷹央はゆっくりと口を開いた。

「……わかった。それでは葬儀社に連絡を取って、息子を弔う準備をしなくてはな。事務員に近くの葬儀社のリストを持ってこさせるんで、そこから選ぶといい。それまではここでゆっくりと息子との時間を過ごしていてくれ」

「お気遣いありがとうございます。解剖の件、申し訳ありません」

感謝と謝罪を口にする正一に、「気にすることはない」と言い残すと、鷹央は踵を返して霊安室から出て行った。僕と鴻ノ池は、「失礼します」と正一に一礼してから鷹央のあとを追う。

廊下を進んでいる鷹央に追いついた僕は、「お疲れさまでした」と声をかける。

「……なんか嬉《うれ》しそうだな。解剖できなかったっていうのに。天王寺龍牙の身に何が起きたのか解明したいとは思わないのか？」

「もちろん思いますよ。解剖できないことは本当に残念だったと思っています」

「なら、なんでにやにやしているんだよ」

鷹央は苦虫をかみつぶしたような表情になる。

「いえ、鷹央先生が正一さんの気持ちを理解して、引いてくれたことが嬉しかったんですよ。こう言ってはなんですけど、なんというか、成長しましたね。どうしてあんな暑い中、凍死したのか調べられないのは残念ですけど、きっとこれでよかったんだと思い、ぐふっ」

いい気持ちでしゃべっていた僕の脇腹に、鷹央の肘鉄が食い込む。

「なにするんですか！」

「八つ当たりに決まっているだろ。くそっ、せっかく興味深い事件を調べられると思ったのに」

「開き直らないでください」

僕は痛む脇腹を押さえながら抗議の声を上げるが、鷹央はそっぽを向いて無視をする。

前言撤回、この人全然成長してないじゃん。

「お二人とも仲がいいですねえ」

後ろをついてきている鴻ノ池が、楽しげに言う。

「どこがだよ」

ため息をつきながらも、僕は内心で安堵していた。

天王寺龍牙の身に何があったのか気になってはいたが、下手に首を突っ込むと、また面倒くさいことになりそうな予感がしていた。

僕たちは警察や探偵ではなく医者だ。医者は患者やその家族の希望に添って診療を行う。

遺族である父親が望んでいない以上、天王寺龍牙に『診断』を下す必要はない。

諦めてくれてよかった。鷹央に気づかれないように、僕はそっと胸をなでおろしたのだった。

5

「……諦めてくれるはずがなかった」

ハンドルを握りながら僕は、小さくため息をつく。

翌日、日曜の昼下がり、僕は愛車のCX－8で西東京市の住宅街を走っていた。

「まだ着かないのか？」

助手席に座った鷹央が、クッキーを口に放り込む。

「汚れるから車内でお菓子を食べないでって、いつも言ってるじゃないですか。あと十分くらいですよ。大人しく待っていてください」

なんで貴重な休日を潰してまで、僕はこんなことをしているのだろう？　自問するが答えは出なかった。

昨日、霊安室を後にして屋上の〝家〟に戻ると、鷹央は帰り支度をはじめる僕に声をかけてきた。

「それじゃあ、明日は正午に集合な」

「はい？　明日は休みですよ」

悪い予感を覚えながら僕が答えると、鷹央はにやりと口角を上げた。

「もちろん分かっている。仕事が休みだからこそ、昼から捜査ができるんだろ」

「捜査ってまさか、『アイスマン事件』のことですか？」

僕が頬を引きつらせると、鷹央は「他に事件があるのか？」と小首を傾《かし》げた。

「いやいやいや、解剖できなかったんだから、今回の件はもう終わりでしょ」

「そんなわけないだろ。解剖できなかったのは痛いが、だからといって手がかりが全てなくなったわけじゃない」

鷹央は電子カルテに近づきマウスを操作してそのディスプレイに天王寺龍牙の診療記録を表示させた。

「これが手がかりだ」

薄い胸を張りながら、鷹央は患者住所の欄を指さした。

「まさかあの亡くなった方の自宅を、捜索しようってわけじゃないでしょうね」

「そのまさかだ」

鷹央が目を細めるのを見て、僕はめまいをおぼえた。

「なに言ってるんですか。他人の家に勝手に上がり込んだりしたら、不法侵入になりますよ」

「お前こそなに言っているんだ。そこの家の住人は既に死んでいるんだぞ。死者の家に上がり込んだって不法侵入にはならないだろ」

そうだろうか？　普通に不法行為じゃないのかな？　そんな疑問が浮かんだが、疲労でオーバーヒートしかけている脳細胞は正確な判断を下せなかった。

「まあ心配するなって。確かに私たちが普通に入り込んだら、トラブルになるかもしれない。けれど大丈夫だ。私には奥の手があるからな」

鷹央はそう言うと、下手くそなウィンクをしたのだった。

僕が昨日の出来事を思い出していると、後ろから「なんで俺がこんなことを……」という愚痴が聞こえてくる。

僕はバックミラーを見て、後部座席に鴻ノ池と並んで座っている『奥の手』こと、田無署刑事課の刑事、成瀬隆哉に視線を送る。

「ぶつぶつとうるさいな。ついてくることに同意したんだろ。いまさら文句言うなよ」

鷹央が振り返って、腕を組んでいる成瀬に声をかける。

「同意したわけじゃありません！」

成瀬が声を荒らげる。

「けど、ちゃんと指示どおりに、私の〝家〟にやってきたじゃないか」

「仕方がないでしょ。昨日あなたからの電話に出たら、いきなり『明日、殺人の可能性がある事件について捜査をする。詳しく知りたかったら正午に〝家〟に来い』とだけ言い残して通話が切れたんだから」

そんなふうに成瀬を呼び寄せたのか。僕が呆れていると、鷹央は「嘘《うそ》はついてないだろ」と肩をすくめた。

「嘘かどうかとかいう問題じゃないんですよ」

「ああ、グダグダとうるさい奴だな。そもそも、もとはと言えばお前の責任なんだからな」

「はぁ？　俺の責任？」

成瀬は分厚い唇を歪める。

「そうだ。一昨日の夜、いつもみたいにお前が異状死の確認に来ていたら、天王寺龍牙は司法解剖できて、詳しい死因が分かっていたはずなんだ。どうして来なかったんだよ。職務怠慢だ」

「なんでそうなるんですか！　俺はあなたの病院に雇われてるわけじゃない」

成瀬が当然の反論をすると鴻ノ池が「でも……」とつぶやいた。

「最近、うちの病院で何かあったときって、決まって成瀬さんが来ますよね。たしか、うちの病院の担当みたいになってるんじゃありませんでしたっけ？」

「別に担当なんかじゃありません！　ただ上司や同僚たちが押し付けてくるんですよ。『あのタカタカペアがいる病院なら成瀬の出番だろ』って」

成瀬はがりがりと苛立たしげに頭を掻く。

「ですから、統括診断部には私もいるって、何回も言っているじゃないですか。タカタカペアじゃなくて、タカノイケトリオって呼んでください」

鴻ノ池のどうでもいい抗議を聞き流している成瀬に向かって、鷹央が後部座席に身を乗り出した。

「で、お前は一昨日の夜、なにしてたんだよ？　なんで話の分からない若い刑事なんかが、検視にやって来たんだ？」

渋い表情で黙りこむ成瀬に、鷹央は「なに黙っているんだ」「さっさと答えろよな」と、しつこく絡み続ける。

根負けしたように成瀬は「ああ、うっとうしい」とかぶりを振った。

「大捕り物があったんですよ。アパートで大麻を栽培していた奴らを摘発したんです。何室も借りてかなり手広くやっていたグループだったので、うちの課の大部分が参加しました。だから手の空いている刑事が松本くらいしかいなかったんですよ。これで満足ですか」

「まあ、それなら仕方ないか」

鷹央がこりこりとこめかみを掻くと、成瀬はこれ見よがしに大きくため息をついた。

「まったく、でかい事件がひと段落して、少しは息をつけるかと思ったら、ピザのデリバリーみたいに適当に呼び出されるなんて。協力して欲しいなら、最低限もっと詳しく説明してくださいよ」

「だからさっき、病院を出たあと説明してやっただろ。何が不満なんだよ？」

「説明が遅いことに決まっているじゃないですか。その凍死したって男の件、特に事件性が疑われるとは思えませんね。昨日詳しく話を聞いていたら、俺は来たりしませんでしたよ」

「それはどうかな？」

鷹央は皮肉っぽく言う。バックミラーに映る成瀬は「どういう意味ですか？」と眉をひそめた。

「お前はこれまで、私が摩訶不思議な事件を解決するのを目の当たりにして、それを自分の手柄にしてきた。そんなお前が私の『殺人かもしれない』という言葉を無視できるとは思えない。可能性は低いと思っても念のため、私の捜査について来ようとするはずさ。その証拠に詳しい話を聞いた後も、ぶつぶつ文句を言いつつも、車を降りるそぶりを見せないだろ」

図星をつかれたのか、成瀬は渋い顔になる。

「まあまあ成瀬さん。せっかくだから楽しくいきましょうよ。ほらチョコ食べてください。美味《おい》しいですよ」

鴻ノ池は陽気な声を上げつつ、成瀬の唇に押し付けるようにしてチョコを食べさせる。

「……どうも」

成瀬は毒気が抜かれたような様子で、チョコを咀嚼《そしゃく》しはじめた。

こいつって本当に、場の空気を和ませるのうまいよな。鴻ノ池のそつのない行動に僕が感心していると、カーナビから「まもなく目的地周辺です」という声が響いた。

フロントガラスの向こう側に古びた四階建てのマンションが見えてくる。

「あそこが、天王寺龍牙さんが住んでいたマンションみたいですね。そこの駐車場に停《と》めます」

僕がハンドルを切ってコインパーキングに車を停めると、鷹央は「よし、行くぞ」とドアを開けて勢いよく飛び出して行った。

「ああ、ちょっと待ってくださいよ」

エンジンを切った僕は、鴻ノ池、成瀬とともに鷹央のあとを追う。

マンションのエントランスに入った僕は、あたりを見回した。壁の塗装は剝げ落ち、郵便受けは錆《さ》びついている。お世辞にも管理が行き届いているとはいえない状況だ。

築年数もかなり経っているだろう。

「オートロックはもちろん、エレベーターもなしか。多くの郵便受けにチラシが溢れているところを見ると、空いている部屋も多そうだ」

鷹央はあごを撫でながらつぶやく。

「正直、あまりいい物件とは言えないな。家賃もかなり安いだろう。天王寺龍牙は、もともといいメーカーに勤めていたはずだが、退職後の収入はあまり高くなかったようだな。あと、遺体が発見された久留米池公園からは五キロ以上は離れているか……」

「お父さんも退職理由を知らなかったみたいですし、何があったんでしょうね」

郵便受けを眺めながら鴻ノ池が言う。

「さあな。ただ部屋を調べれば、何か手がかりが見つかるかもしれない。カルテの記録によれば、天王寺龍牙が住んでいたのは四階の五号室だ。行くぞ」

鷹央は手招きすると、エントランスの奥にある階段を上りはじめた。

「もう無理だ……。これ以上、のぼれない。死ぬ……」

へたり込んだ鷹央が息も絶え絶えに言う。

不可思議な事件の捜査をはじめると、目の前に人参《にんじん》をぶら下げられた競走馬のように活動的になる鷹央だが、普段は屋上にある〝家〟に引きこもり、冬眠中のクマのような生活を送っている。それゆえ階段を二階まで上がったあたりで息が切れはじめ、この三階と四階の間にある踊り場で限界を迎えて、完全に足が止まっていた。

「鷹央先生、頑張ってください！　あと少しです。ファイトです！」

鴻ノ池に応援されるが、鷹央は駄々をこねるように首を左右に振るだけだった。

「冗談ですよね？　たった三階分あがっただけですよ。それで息が上がるなんて、どれだけ体力がないんですか？　ナメクジか何かですかあなたは？」

普段やり込められているお返しとばかりに、成瀬は小馬鹿にするように言う。

「ナメクジ⁉　それがレディを形容する言葉か！　そもそもお前みたいな筋肉ダルマが……」

息が上がっている状態で怒鳴り声をあげた鷹央は、そこまで言ったところで激しく咳《せ》き込みはじめる。

「ああ、鷹央先生、大丈夫ですか？　ほら、落ち着いて。深呼吸、深呼吸」

鴻ノ池が慌てて、鷹央の華奢《きゃしゃ》な背中を撫でた。

「いつまでも休んでないでさっさと行ってくださいって。俺だって暇じゃないんです」

成瀬があごをしゃくる。普段なら倍にして、いや十倍にして言い返す鷹央だが、呼吸困難に陥った直後ではその余裕もないのか、渋々といった様子で鴻ノ池の肩を借り立ち上がると、ほとんど引きずられるようにして一段一段階段を上がっていった。

「到着したぞ！　私はやったぞ！」

四階に辿り着いた鷹央は、まるでエベレストの山頂に着いた登山者のように、両手を突き上げてガッツポーズをする。そんな鷹央に冷めた眼差しを向けつつ、成瀬が僕に小声で話しかけてくる。

「あなた方、天久先生をちょっと甘やかしすぎじゃないですか」

まったくもってその通りなので、僕は「すみません……」と首をすくめることしかできなかった。

「ごつい男どうしで、なにをこそこそ内緒話してるんだよ。気色悪い。ほれさっさと行くぞ。天王寺龍牙の部屋を徹底的に漁って、『アイスマン事件』の手掛かりを見つけるんだ」

階段を上りきったことで余裕ができたのか、口の悪さが復活した鷹央は、汚れの目立つ外廊下を大股に進みだす。

「言っておきますが、いくら俺が刑事だからって、令状もなしに勝手に部屋に入って調べることはできませんよ」

成瀬が釘《くぎ》を刺すと、鷹央は振り返ることもせず、「大丈夫さ」と手を振る。

「刑事が一緒なら大家にでも連絡を取れば、きっと鍵を開けてくれる。部屋を借りていた奴は既に死んでいるんだ。室内の捜索も許可してくれるさ」

それって法的に大丈夫なのだろうか？　一抹の、いや、かなり大きな不安を覚える僕を尻目に、鷹央はずかずかと廊下を進んでいき、天王寺龍牙の部屋である四〇五号室に到着した。

「とりあえず、インターホンを押して同居人がいないか確認し、反応がなければ大家に連絡を……」

鷹央がそこまで言ったとき、唐突に四〇五号室の玄関扉が開いた。

「うおっ⁉」

鷹央が普段のナマケモノのような動きからは想像もできない素早さで後ずさると、部屋から茶髪の若い男が姿を現す。

年齢は二十代前半といったところだろうか。肌にニキビが目立ち、どこか不健康そうな雰囲気を醸し出している。

「お、お前は誰だ⁉」

うわずった声を上げた鷹央に指をさされた男は、眉間にしわを寄せる。

「誰だって……。あんたこそ誰だよ？」

「私は天久鷹央だ。天医会総合病院統括診断部の部長で、副院長も兼任している」

鷹央が生真面目に名乗ると、男の眉間に刻まれたしわが、さらに深くなる。

「病院？　医者がなんでこんなところに？」

「私は質問に答えたぞ。今度はお前が答える番だ。お前は誰だ？　この部屋で何をしている？」

詰問するような口調で鷹央が訊ねる。男が「俺は……」と答えかけたとき、再び玄関扉が開き、中から三人の男がぞろぞろと姿を現した。

「この方々は？」

長身でメガネをかけ、唯一ジャケットを羽織っている最年長らしき男が、いぶかしげにこちらを見る。年齢は僕より少し上といったところだろうか？　かなり体格がよく、ジャケットの上からでも体を鍛えあげているのが見て取れる。

「なんかお医者さんらしいっスよ」

茶髪の男が答えると、メガネの男は「医者？」と目つきを鋭くする。

「お医者様がここにどんな御用でしょうか？」

言葉使いこそ慇懃だが、男の口調には回答を強いるような重い響きがあった。

「私たちはこの部屋に住んでいた男について調べている」

「この部屋の住人について？　どうしてです？」

「その男がうちの病院で不審な死を遂げたからだ。私は男の死因を、そこに隠されたものを見つけ出す義務がある。それが医師として人を救うことになるからな」

鷹央は強い意思のこもった口調で言う。

診断医である鷹央にとって、患者の身に起きていることを解き明かし、診断を下すことは、患者を救うことそのものなのだ。そして、それは既に命を落としている患者にも適用される。

『アイスマン事件』を解き明かし、なぜ天王寺龍牙が熱帯夜に凍死したのか、彼の身に何が起きたのか、それを暴くことは鷹央にとっては『天王寺龍牙の救済』に他ならないのだろう。

「隠されたもの……、人を救う……」

男はメガネの奥の目をすっと細めた。

「さて今度はそっちの番だ。お前たちは何者だ？　この部屋で一体何をしていた？」

鷹央に問い詰められた男は、ジャケットの懐に手を忍ばせる。

武器⁉　僕、鴻ノ池、そして成瀬。武術の心得のある三人が同時に身構え、戦闘態勢を取った。

次の瞬間、懐から抜いた男の手に握られていたものを見て、僕は拍子抜けしてつんのめりそうになる。それは革製の名刺入れだった。

「私たちはこういう者です」

男は取り出した名刺を、両手で恭しく鷹央に差し出す。

「便利屋……？」

名刺を受け取った鷹央は眉根を寄せた。

「はい、『便利屋ナンデモゴザレ本舗』です。掃除、洗濯、ペットの散歩からコンサートのチケット取り、ブラック企業の退職代行まで、どんなことでも承っております。御用の時はぜひそちらの電話番号、またはメールアドレスまでご連絡ください」

一転して愛想よく言うと。メガネの男は、満面に営業スマイルを浮かべる。

「掃除……」

ぼそりとつぶやいた鷹央は次の瞬間、大きく目を開くとノブを摑《つか》んで勢いよく玄関扉を開いた。

「あっ、鷹央先生、勝手に入っちゃだめですよ」

僕は慌てて声をかける。しかし、予想に反して鷹央は室内に飛び込むことなく、啞《あ》然《ぜん》とした表情で立ち尽くしていた。

「鷹央先生？」

声をかけながら鷹央に近づいた僕は、室内の様子を見て息を吞む。そこには……何もなかった。

六畳程度のワンルーム、そこはまるで空き家のように全ての家財道具がなく、ほこり一つ残っていないほど隅々まで清掃され尽くしていた。

「なんで何もないんだ！」

鷹央はメガネの男を睨みつける。

「なんでって、私たちが片付けたからですが……」

鷹央の剣幕に圧倒されたのか、メガネの男は軽く仰《の》け反《ぞ》った。

「この部屋にあったものを、どこへ持って行った！　どこに隠したんだ？」

「いえ、別に隠したわけじゃ……。ただ個人情報でもありますので、第三者に教えるのはちょっと……」

戸惑い顔で男は頭を掻いた。

「隠してもためにならないぞ。そこに立っているごつい男は田無署の刑事だ。正直に答えないと、警察署に連れて行かれて事情聴取を受けることになるぞ」

「刑事……」

メガネの男の顔が引きつった。ほかの者たちの表情にも明らかな動揺が走る。名指しされた成瀬を含めて。

当然だろう。たんに依頼されて部屋を片付けただけの者たちを、署に連行などできるわけがない。それどころか、こうやって脅迫まがいの行為をすること自体、大きな問題になりかねない。

僕は内心で成瀬に同情しつつ、黙って成り行きを見守り続けた。

「待ってくださいよ！　俺たちは依頼された仕事をしただけですよ！　なんでそれで逮捕なんてされないといけないんスか？」

最初に部屋から出て来た茶髪の男が、上ずった声で抗議する。

「落ち着いてください。逮捕なんてしません。ただ、できればちょっとお話を伺いたいだけです」

このまま鷹央に任せていたら、どんどん状況が悪くなると思ったのか、成瀬は慌てて前に出る。

「……それは強制なんですか？」

硬い口調でメガネの男がたずねる。成瀬は素早く首を横に振った。

「いいえ、そんなことは決してありません。可能なら協力して欲しいというだけです」

成瀬は必死に釈明する。しかしその言葉にかぶせるように、鷹央が声を上げた。

「何もやましいことがないなら、警察に全面的に協力するのが善良な市民の義務というもの……」

「あなたは黙っていてください！　なんならあなたを逮捕しますよ！」

収まりかけた場を再び混乱させるようなことを口走りかけた鷹央を、成瀬が一喝する。鷹央は不満げに唇を尖《とが》らして口をつぐんだ。

数秒、迷うようなそぶりを見せたあと、メガネの男はゆっくりと話しはじめた。

「まあ、別に隠すようなことじゃないからいいですよ。この部屋の家具の運び出しと清掃を依頼されて、それをこなしただけです」

「いつ、誰が、その依頼をしたんだ？」

成瀬を押しのけるようにして、鷹央が訊ねる。

「依頼の電話があったのは、昨日の夕方です。相手はこの部屋に住んでいる方の親族という話でした。扉の鍵は開いているので、勝手に入って全部片付けてくれ。そう言われました」

「勝手に入って全部片付けてくれなんて依頼、怪しいと思わなかったのか？」

鷹央の疑問に、メガネの男は面倒くさそうにかぶりを振った。

「特に思いませんでしたね。そういう依頼はよくあるもので」

「よくある？」

鷹央は低い鼻の付け根にしわを寄せる。

「ええ、私たちのような便利屋に依頼してくるお客さんの中には、他人には聞かれたくない事情を抱えている人もたくさんいます。こういう『立ち会いなしで全部片付けて欲しい。痕跡を消して欲しい』という依頼は、夜逃げや、ＤＶの被害者が加害者に見つかった場合が多いですね」

　メガネの男はわざとらしく肩をすくめた。

「詳しい事情を聞いたら、私たちまでトラブルに巻き込まれる可能性がある。だから料金さえ振り込まれれば、ただ黙って仕事をこなす。それが便利屋です。他に聞きたいことはありますか？」

「……この部屋に置かれていた家財道具は、いまどこにあるんだ？　それを見せて欲しい」

「それは無理です。どこに行ったのか私たちも知りませんから」

　男の答えを聞いた鷹央は、「知らない？」と目を剝く。

「どういうことだ⁉　お前らが運び出したんだろ？」

「運び出して、それをマンションの前にとまっていたトラックに積み込んだだけです」

「積み込んだだけって、そのトラックはどこに行ったんだ？」

「さあ、知りません。そのトラックは私たちとは無関係ですから」

「無関係⁉　どこの誰のものともわからないトラックに、お前らは荷物を運び込んだっていうのか」

　鷹央の声が大きくなる。

「ですから、こういうのは珍しいことではないんです。荷物を運び出す業者とそれを処理する業者を別にすることで、誰かが追ってきても、追跡が困難になりますからね」

口を半開きにして固まっている鷹央に一瞥《いちべつ》をくれると、メガネの男は「行くぞ」と仲間たちを促す。男たちは僕たちとすれ違い廊下を進んでいった。

「ちょっと待て！　話はまだ終わってないぞ」

「いいえ、終わりました。私たちは『善良な市民』として、十分に協力したでしょ。次の現場があるんです。これ以上足止めするつもりなら、令状を持ってきてください。では」

メガネの男は芝居じみた仕草で一礼すると、こちらに背中を向けて階段へと向かう。

「おい、成瀬。あいつら行っちまうぞ」

鷹央は男たちを指しながら、焦りのにじむ声で叫ぶ。

「ええ、行ってしまいますね」

「行ってしまいますねって、それでいいのか？　あいつらを怪しいと思わなかったのか」

「もちろん思いましたよ」

鷹央が「それなら……」と前のめりになるが、成瀬は静かに首を横に振った。

「けれど、彼らを止める権利は俺たちにはないんです。なんとなく怪しいなんていう曖昧な理由では、警察は動けないんですよ。あなたも大人なんだから、分かるでしょう」

成瀬ははっきりと告げる。男たちの姿が階段へと消えていった。呆然とそれを見送った鷹央は「じゃあどうするんだ!?」と声を荒らげる。

「どうするもなにも……」

成瀬は呆れ顔でノブをつかむと、扉を開けて室内を覗き込む。

「こんなにきれいさっぱり片付けられていたら、あなたが探している『手がかり』とやらも完全に消えているでしょうね。やれることなんてありませんよ。今回の件はもうおしまいです」

「おしまいってそんな……」

半開きの口からかすれ声を出す鷹央を尻目に、成瀬は扉を閉めると身を翻して離れていく。

「これが法治国家ってやつです。諦めてください。バスで署に帰りますので、送りは結構です」

成瀬の乾いた靴音が、やけに大きく廊下に響き渡った。

第二章　氷点下の咆哮

1

「……さすがに食べ過ぎですよ」

ソファーであぐらをかいた足の間に置いたクッキー缶から、せわしなくクッキーを取り出しては口に持って行っている鷹央《たかお》を、僕はたしなめる。

天王寺龍牙《てんのうじりゅうが》が住んでいた西東京市のマンションを訪れてから八日後の夕方、本日の勤務を終えた僕たち統括診断部の三人は、屋上の〝家〟にいた。

「うるさいな、これくらいいいだろ」

鷹央は苛立《いらだ》たしげに言うと、再びクッキー缶の中に手を突っ込む。

「これくらいって、その業務用みたいな巨大なクッキー缶、一日で空にしているじゃないですか。いい加減にしないと本当に糖尿病になりますよ」

僕は鷹央に近づくと、その足の間にあるクッキー缶を素早く奪い取り、両手で頭上に掲げる。

「ああ、なにするんだ⁉　返せ、この泥棒め！」

鷹央は立ち上がってクッキー缶を取り戻そうとするが、身長百五十センチに満たない彼女が、百八十センチを超える僕の頭より高い位置にあるクッキー缶に、手が届くわけもなかった。

鷹央は懸命にぴょんぴょんとジャンプをするが、その指先はクッキー缶どころか、僕の頭部にも届かない。

飛び跳ねることをやめた鷹央は、リスのように頬を膨らませながら僕を睨《ね》め上げてくる。

「そんなに睨《にら》まないでくださいよ……。体力では僕には勝てないんだから諦めてください」

「……ああ、体力ではたしかにかなわないな。でもな、そういうときは頭を使えばいいんだよ」

「頭をって、いったい何をするつもり……」

不吉な予感を覚えた瞬間、鷹央は猪《いのしし》のように頭頂部をこちらに向け、いきなり突進してきた。完全に不意を突かれ、腹筋を固める余裕もなかった。鷹央の頭突きが、みぞおち、空手では水月《すいげつ》と呼ばれる急所にめりこむ。

肺から強制的に空気が押し出され、「ぐふっ⁉」とうめきながら僕はその場に膝をつく。鷹央はニヤリと唇の端を上げると、僕の手からクッキー缶を奪い返した。

「言っただろ、頭を使えばいいって」

「それ、なんか違うんじゃ……」

鈍痛に耐えているため、突っ込みにも力が入らない僕を尻目に、鷹央は再びクッキー缶を抱えてソファーに腰掛けた。

「大丈夫ですか、小鳥《ことり》先生？」

少し離れた位置で、電子カルテに診療記録を打ち込んでいた鴻ノ池《こうのいけ》が近づいてくる。

「大丈夫だよ。不意を突かれただけで、鷹央先生、体重軽いから大したダメージはないし」

僕は立ち上がると、ズボンの膝についたほこりを払う。

「どちらかというと、心配なのは鷹央先生の方だ」

再びクッキーを貪り食いはじめた鷹央に視線を送りながら、僕は小声で言った。

「あのマンションでの一件があって以来、お菓子の量、かなり増えていますもんね」

鴻ノ池の眉尻が下がる。

「苛立ちを糖分で紛らわしているんだろうな。でも、このままだと本当に生活習慣病になりかねないぞ。あの人ほとんど運動しないし」

「ですよね。うーん、お菓子の代わりに運動でストレス解消したらいいのに。二、三時間、外をジョギングすればさっぱりしますよ」

「永久機関みたいな体力のお前と一緒にするなよ。鷹央先生、二時間どころか、二十秒走れるかだってあやしいのに」

「人を化け物みたいに言わないでくださいよ」

唇を尖《とが》らせた鴻ノ池は「そうだ！」と、研修用のユニフォームである青いスクラブに包まれた胸の前で両手を合わせる。

「真鶴《まづる》さんに注意してもらうっていうのはどうですか？　真鶴さんに叱られたら、鷹央先生もお菓子控えめにするでしょ」

鷹央の姉であり、この病院の事務長でもある天久《あめく》真鶴は鷹央が恐れる数少ない人物だ。たしかに真鶴の雷が落ちれば、鷹央も大量の菓子をむさぼり食うのをやめざるを得ないだろう。けれど……。

「けれど、それって結局、対症療法にすぎないんだよな」

現状の鷹央は、糖分を大量に摂取することで精神的なストレスをごまかしている状態だ。当然、菓子を食べることが禁止されれば、他にストレスの捌《は》け口が必要になる。

その『捌け口』の最有力候補は、間違いなく僕だ。

「お菓子が禁止されたら、鷹央先生、絶対僕に八つ当たりしてくるよな……」

「まあ、そうでしょうね。小鳥先生って、鷹央先生が唯一甘えられるというか、心を許している相手ですから」

「そんないいものじゃ……」

僕が顔を引きつらせると、鴻ノ池は「そんなことありません！」と力強く言う。

「鷹央先生みたいな性質を持つ人って普通は、強いストレスを浴びると他人との接触を絶って、引きこもろうとするんですよ。そういう人たちにとっては『他人』という存在そのものが、強いストレス源になるから」

「まあ、言われてみればそうかも……」

一年と少し前、鷹央と出会ったばかりの頃のことを思い出す。あの頃の鷹央は何か嫌なことがあると、グランドピアノの下などの狭いところに入り込み、怪我《けが》をした野良猫のようにじっとこちらを見て警戒をしていた。

あれ、妖怪みたいでめっちゃ怖かったんだよな……。

「というわけで、鷹央先生が小鳥先生に八つ当たりするのは、信頼の証明なんですよ」

「そんな信頼の形、嫌なんだけど……」

僕の愚痴を黙殺した鴻ノ池は、ペラペラと言葉を続ける。

「つまり、お二人は固い絆《きずな》で結ばれた特別な関係ってことです。相棒、もしくは恋人みたいな」

「……後者は明らかに違う」

「違うなら、さっさとくっついちゃってくださいよ。そして、愛の力で鷹央先生のストレスを癒してあげてください。この一週間、統括診断部の空気がギスギスして居心地悪いんですよ。ほら、私の理想の職場環境のために、さっさと既成事実を作っちゃってください」

背後に回り込んだ鴻ノ池が、ぐいぐいと僕の背中を押しはじめる。

「やめろって。そもそも、対症療法じゃ根本的な解決にならないだろ。鷹央先生を糖尿病から守るためにも、ストレス源から絶たないと」

「ストレス源から絶つって、具体的にはどうするんですか？」

鴻ノ池は唇を尖らせた。

「この前の『アイスマン事件』が中途半端で終わっちゃったことが、鷹央先生のストレスの原因ですよね。けど遺体は火葬されちゃったし、家も完全に片付けられちゃったからどうしようもないじゃないですか」

「あの事件に匹敵するぐらい不思議な謎を見つけたら、それに夢中になって、『アイスマン事件』のことも忘れてくれるんだろうけど……」

「熱帯夜に凍死した事件に匹敵するぐらい不思議な謎ですか？　そんなもん簡単に見

つかりませんよねえ。あ、そうだ。ストーカー事件とかどうですかね？」

「ストーカー？　誰がストーキングされているんだよ」

「私です」

　鴻ノ池は自分の顔を指さした。

「はぁ、お前が？　誰に？」

「それが分からないから困っているんですよ。ただ最近、帰り道とかで誰かに尾《つ》けられたり、監視されているような気がするんですよ」

「本当かよ？　それに、あんまり『謎』って感じじゃなくないか」

「ですよねえ。鷹央先生に話しても上の空で、気のせいじゃないか、って言われちゃいましたし、さすがに『アイスマン事件』の代わりにはならないか……」

　鴻ノ池が力なくつぶやいたとき、ノックの音が響いた。

　こんな時間にいったい誰だろう？　僕は振り返ると、玄関扉に向かって「どうぞ」と声をかける。扉がゆっくり開いていった。その奥に立っていた人物を見て僕は目を大きくする。

「桜井《さくらい》さん⁉」

　中肉中背だが猫背のせいで小柄に見える体軀《たいく》、かなり強い天然パーマのせいで鳥の巣のようになっている頭、トレードマークの薄茶色のコートはさすがに残暑が厳しいせいか腕にかけられている。

警視庁捜査一課の刑事である桜井公康《きみやす》がそこに立っていた。

僕がこの病院に赴任してすぐの頃に起きた、「宇宙人に命令された」と主張する男が殺人を犯した『スフィアの死天使事件』をはじめとして、桜井とはこれまで何度か、大きな事件で共に捜査にあたっていた。

よく見ると、桜井の背後には成瀬《なるせ》もいる。その顔にはどこか居心地の悪そうな表情が浮かんでいる。

「何の用だ、偽コロンボ」

ソファーに腰掛けた鷹央が不機嫌を隠そうともしない声で訊《たず》ねると、明らかに『刑事コロンボ』を意識したファッションスタイルをしている桜井は、嬉《うれ》しそうに目を細めた。

「いえ、ちょっと皆さんにお話を伺いたいと思いまして」

「何か事件が起きたのか⁉　お前たち警察では解決できないような、摩訶《まか》不思議な事件が」

『謎』に飢えている鷹央がソファーから腰を浮かす。

「私たちで解決できないかどうかわかりませんが、それなりに不思議な事件です」

愛想よく言う桜井を見て、僕は警戒する。好々爺《こうこうや》のような穏やかな雰囲気を醸し出している桜井だが、それは擬態で腹の中はイカ墨のように真っ黒であることを、僕はこれまでの付き合いで知っていた。

油断していると面倒ごとに巻き込まれかねない。

そもそも桜井は殺人班に所属している刑事だ。この男が捜査しているということは、殺人もしくはそれに準ずる凶悪犯罪だということを意味する。

ただなぁ……。僕は暗澹《あんたん》たる気持ちで、興奮に頬を紅潮させている鷹央を眺める。

もはや、またたびを前にしたネコのような状態だ。

『アイスマン事件』以来、一週間以上、謎を解くことをお預けにされ、鷹央の脳はいまや飢餓状態となっている。少しでも魅力的な謎を前にしたら、彼女は飢えた獣のようにそれに飛びつき、襲い掛かるだろう。そして、桜井がわざわざ一般人である鷹央に相談してくるような事件が、魅力的でないわけがないのだ。

また、おかしなことに巻き込まれるのか……。まあ、それで鷹央先生のお菓子の摂取量が減るなら、よしとするしかないか……。

僕が無理やり自分を納得させていると、桜井は「失礼します」と家に上がり込みいそいそと近づいてきた。

「さて、さっそく話を聞くとしようか。一体どんな不思議な事件なんだ？　ほれ早く言え。さっさと言え。私にどんな謎を解き明かして欲しいんだ」

鷹央はクッキー缶をローテーブルに置くと、体を大きく前傾させる。鷹央の『獲物』がクッキーから『謎』へと移ったのを確認して、僕の胸には不安と安堵《あんど》が同程度にブレンドされた気持ちが湧き上がってくる。

「いえ、実はですね、謎を解き明かして欲しいというわけではないんですよ」

桜井が鳥の巣のような頭を掻《か》くと、鷹央はいぶかしげに目を細めた。

「私の知恵を借りに来たわけじゃないっていうのか？　じゃあなんでわざわざここに来た？　警視庁捜査一課の刑事であるお前が、所轄署の成瀬と一緒に行動しているということは、このあたりで捜査本部が立つような重大事件があったということだろ？　その捜査をしているんだろ？」

「そのとおりです。私は現在、田無《たなし》署に立ち上げられた捜査本部に所属し、成瀬君とペアを組んで、とある事件の捜査にあたっています」

「そのとある事件というのは、いったいなんなんだ。もったいぶってないで、さっさと話せ」

もはや『謎』への禁断症状が生じはじめているのか、鷹央は小刻みに体を揺らしながら桜井を急《せ》かす。

「実はですね……」

桜井は声をひそめた。

「私たちが調べているのは熱帯夜に久留米池《くるめいけ》公園で男が凍死した事件なんです」

「熱帯夜に凍死……」

鷹央は呆《ほう》けた口調でつぶやくと、次の瞬間、勢いよく立ち上がった。

「やっぱりあの事件は殺人だったのか！　私の主張は正しかったんだな。ようやく警察もそれに気づいて捜査をはじめたんだな！」

拳を握り締めて大声を出す顔に、桜井は「落ち着いてください」と声をかける。

「私たちが調べているのは、鷹央先生がおっしゃる『あの事件』ではありません」

「は？　どういうことだ？　お前自身が言ったんだろ、熱帯夜に久留米池公園で男が凍死した事件を調べているって。私が調べようとした『あの事件』じゃないか」

「それが違うんですよ」

桜井の押し殺した声が、やけに不吉に部屋の空気を揺らした。

「三日前にもう一体、遺体が発見されたんです。凍死した全裸の男の死体がね」

2

「久留米池公園でもう一体、凍死体が見つかったって言うのか？」

甲高い声を上げた鷹央に、桜井は「そのとおりです」と重々しく頷《うなず》いた。

「三日前の未明、久留米池公園のホームレスが全裸で倒れている男を発見し、警察に通報しました」

「今回は救急じゃなく、警察に通報したのか」

鷹央はゆっくりとソファーに腰を戻すと、両手を組んであごを引く。

「一目見てもう死んでいると思ったようです。それは間違っていませんでした。司法解剖の結果、発見時すでに遺体は、死後十時間ほど経過していたと判断されました」

「今回は司法解剖したんだな」

鷹央は咎《とが》めるような眼差《まなざ》しを、桜井の後ろに居る成瀬に浴びせる。成瀬は露骨に目をそらした。

「まあ当然か、一週間もしないうちに、二人目の凍死体が同じ公園内で発見されたんだからな。どんなに頭が空っぽでも、事件性があるって気づくよな」

鷹央があてこするように言うと、「それだけじゃないんですよ」と桜井は肩をすくめた。

「今回は発見場所の周囲に、遺体が引きずられたような痕跡がありました。さらに指紋を消すためか、遺体の両手の指が焼けただれていました。よって、殺人事件の可能性が高いと判断され、所轄署である田無署に捜査本部が設置されることとなりました」

「最初の遺体とは、だいぶ様相が違うな……。それについてお前たちはどう考えているんだ」

鷹央が問いかけると、桜井は「それは……」と愛想笑いを浮かべて首をすくめる。

「実はその『最初の遺体』の状況をうかがうのが、本日こちらにお邪魔した一番の目的なんです」

鷹央は不思議そうに目をしばたたいたあと、「ああ、なるほどな」と、ふんぞり返るようにソファーの背もたれに体重を掛けた。

「お前たち警察は、最初の事件をたんに酔っ払いが屋外で眠って凍え死んだだけだと判断して、まともに調べなかったからな。そのせいで最初の犠牲者と思われる遺体について、ほとんど情報を持ってないってわけか」

「おっしゃる通りです。面目ありません」

桜井がわざとらしく後頭部に手をやる。

「成瀬君に聞いたところ、最初の犠牲者を救急部で治療したのは小鳥遊《たかなし》先生と鴻ノ池先生だったということですね。そのときの状況について、詳しくお聞かせ願えませんでしょうか」

「ああ、あのときは……」

先週の出来事を思い出しながら説明をはじめようとした瞬間、「貴重な情報をペラペラ喋《しゃべ》るんじゃない」と鋭く言われ、僕は慌てて口をつぐんだ。

「この腹黒タヌキめ。なにをしれっと一方的に情報をかっさらおうとしているんだよ。いつも言っているだろ、ギブアンドテイクだって。情報が欲しいなら、まずはそっちから情報をよこせ」

鷹央に睨まれた桜井は、苦笑いを浮かべる。

「善良な市民として、無償で情報を提供して頂くわけにはいきませんか？」

「いくわけないだろ」

鷹央は虫でも追い払うように手を振ると、あごをしゃくって成瀬をさす。

「善良な市民として捜査に協力してやろうとしたのに、そこに立っているウドの大木や、最初の遺体を検視したポンコツ刑事が、それをないがしろにしたんだからな」

ウドの大木と言われた成瀬は顔をしかめるが、桜井はヘラヘラと「いやー、その節は誠に申し訳ありません」と、まったく気持ちのこもっていない謝罪を口にする。

「成瀬君はともかく、松本刑事にはしっかりとお灸《きゅう》をすえて、言い聞かせておきます。統括診断部の皆さんは、これまで我々警察でも歯が立たなかった難事件を、いくつも解決してきているのだから、そのご意見にしっかり耳を傾けるべきだってね」

媚《こ》びるような口調で桜井はしゃべり続ける。

「特に鷹央先生は、現代のシャーロック・ホームズといっても過言ではないほどの天才なのだから、そのご意見はありがたく頂くべきでした」

露骨なおべっかに僕は胸焼けをおぼえるが、持ち上げられた当の鷹央は、満足そうに反り返っていた。

やっぱりこの腹黒タヌキ刑事、油断がならない……。

僕が警戒心を高めていると、鷹央は「さて」と、反らしていた背骨を逆に前傾させ桜井の目をまっすぐに覗《のぞ》き込む。

「商談は成立ってことでいいか？　まずは私から質問させてもらうぞ」

さすがに、機嫌が直ったからといってただで情報を引き出せるとは思っていなかったのか、桜井は「どうぞどうぞ」と微笑《ほほえ》んだ。

「三日前に見つかったという遺体の身元は判明しているのか？」

鷹央の問いに、桜井の表情が引き締まる。

「身元を示すものを何も持っておらず、指紋も焼かれて確認できなかったため、どこの誰かまだはっきりと分かっていません。ただ手がかりがあります」

「手がかり？」

鷹央の眉がピクリと上がる。

「ええ、それもこちらにうかがった理由の一つなんですよ」

よく分からないことを言いながら、桜井は腕にかけたコートのポケットから一枚の写真を取り出し、ローテーブルに置く。

「これが発見された遺体です」

写真に視線を落とした僕たちは大きく息を呑《の》む。そこには、落ち葉の上に横たわる全裸の若い男が写っていた。

大きく見開かれた目は瞳孔が散大し、断末魔の悲鳴を上げるかのように口を開いている。両腕はガードを取るボクサーのように胸の前に上げられていて、足は椅子にでも腰かけているかのように両膝が曲がった状態となっていた。

明らかに死亡し、すでに死後硬直がはじまっている。発見したホームレスが救急ではなく警察に通報したのも当然だ。たとえ素人でも、一目見ればこの男性の命の灯が消えていることは分かるだろう。

ただ僕たちを驚かせたのは遺体の様相ではなく、その顔だった。

その男に見覚えがあった。僕たちはその男に会っていた。しかも、ごく最近。

「この人って……、天王寺龍牙さんのマンションにいた人じゃ……」

鴻ノ池がかすれ声を絞り出す。僕は口を半開きにしたまま小さくあごを引いた。

「ああ、間違いない。あの便利屋の一人だ」

先週の日曜、天王寺龍牙の部屋から最初に出てきたニキビ面の茶髪の男。その人物と、この写真に写っている遺体は間違いなく同一人物だった。

「やはりそうですか。成瀬君が報告したんです、先週、同じような状況で凍死した天王寺龍牙という男の部屋で、このガイシャを見たと」

桜井はちらりと成瀬に視線を向ける。

「一人だけなら記憶違いということもありえますが、成瀬君と一緒にその場にいた皆さんが、異口同音に同一人物だと言っているということは、まず間違いないでしょうね」

「最初の被害者の部屋を徹底的に片づけていた便利屋の一人が、次の犠牲者になったというわけか」

鷹央は鼻を鳴らすと、大仰に両手を広げた。

「だからあのとき言っただろ。あいつらは怪しいって。もっとしっかりと調べるべきだってな」

あてつけるように言われた成瀬は、唇を固く結ぶ。

「まあ成瀬君を責めないでください。事情を聞いたところ、いくら怪しくてもその時点で強制的に調べることはできないという成瀬君の判断は正しい。それが法治国家、ひいては民主主義の根幹です。戦時中の特高じゃないんですから」

桜井が成瀬をかばうと、鷹央は皮肉っぽく唇の端を上げた。

「とか言って、まだ特高の伝統を受け継いでいる組織が警視庁にはあるっていう噂《うわさ》じゃないか」

「特高の伝統を？　ああ、警視庁公安部のことですか」

「やっぱり心当たりがあるみたいだな」

鷹央はシニカルな笑みを浮かべる。

「いやあ、公安は我々警察組織の中でもちょっと特殊な部署でしてね。普段どんなことをしているのか、私たちもよく知らないんですよ」

「え？　警視庁捜査一課の桜井さんでも知らないんですか」

鴻ノ池が驚きの声を上げると、桜井は小さく肩をすくめた。

「あそこは徹底的な秘密主義をとっていますからね。ほかの部署とは、ほぼ接触がないんですよ。私の同期にも公安部にいった男がいますけど、そっちに移ってからはほとんどコンタクトが取れなくなりましたね」

「まあ、テロリストなどから国を守るのが、やつらの最大の任務だからな。そりゃ秘密主義にもなるよな。その割には、最近テロを許していたりするが」

「ああ、連続爆発事件のことですか……」

桜井の顔に暗い影が差す。

「現在、警視庁、いえ全国の警察が全力で追っている事件です。警視庁捜査一課からも三つもの班が特別捜査本部に動員されて、捜査に当たっています。きっと近いうちに、善良な市民の方々を恐怖に陥れている卑劣な組織は追い詰められ、一網打尽にされるはずです」

これまでにないほど強い口調で言う桜井を見て、普段は飄々《ひょうひょう》としているこの男の胸の奥に眠っている警察官としての矜持《きょうじ》が伝わってきた。

「そう願っているよ。善良な市民の一人としてな」

鷹央は小さくあごを引くと、「さて話を戻すとするか」と胸の前で手を合わせた。

「被害者が所属していた、『ナンデモゴザレ本舗』という便利屋は調べたのか？」

「ええ、もちろん調べました。私と成瀬君の二人でね」

桜井は頷く。

「ただ先週の日曜日、最初のガイシャのマンションにいた男たちは『ナンデモゴザレ本舗』の従業員の中にはいませんでした。もちろんあのマンションからの家財道具の運び出し、室内の清掃などの依頼も受けていないということです」

「実際に存在する便利屋を騙《かた》っていたけれど、そことは関係なく、正体は不明ということですね」

僕が確認すると、桜井は「その通りです」と答えた。

「じゃあ、天王寺さんの親族から依頼されたという話は？」

鴻ノ池が疑問をぶつける。

「それもデタラメでした。天王寺龍牙さんの血縁者は茨城で農業をしている父親だけです。しかし、彼に確認したところ、息子さんが亡くなったショックと、葬儀の準備で頭がいっぱいで、部屋の整理についてまで考える余裕はなかったということです」

「ということは、やはりあの部屋に、今回の事件の真相に近づく手がかりがあったんだ。紙一重の差でそれを隠されちまった」

悔しそうに言いながら、鷹央はローテーブルにおかれた写真に視線を落とす。彼女の眉が顰《ひそ》められた。

「おい、これはなんだ？」

鷹央が写真に写った男の、手首を指さす。目を凝らすと、青白い男の皮膚がそこだけ赤黒く変色していた。

「おそらく縛られた痕だと思います」

桜井の答えに、鷹央は「縛られた……」と鼻の付け根にしわを寄せる。

「手首だけでなく足首にも同様の跡があり、さらに口元には猿轡《さるぐつわ》を嚙《か》ませられたような形跡もありました」

「つまりこの男は縛られて、動くことも話すこともできない状態だったということだな」

鷹央は額に指を当て黙り込む。おそらくいままでの情報を頭の中で整理しているのだろう。その隙を突くように桜井が僕に話しかけてきた。

「小鳥遊先生と鴻ノ池先生が救急部で診察したとき、天王寺龍牙さんの体に縛られたような跡はありませんでしたか？」

数瞬、記憶を探った僕は、すぐに首を横に振る。

「いいえ、縛られた跡も、猿轡を噛ませられた痕跡もありませんでした。そんなものがあれば気づいたはずです」

鴻ノ池も「私もなかったと思います」と同調する。

「では、指が焼かれて指紋が消されていたりとかは？」

「もちろんありません。そんな明らかに事件性がある痕跡があったら、さすがに検視をしたのが話の分からない刑事でも、司法解剖させることができていますよ」

僕は皮肉を込めて答えるが、桜井は「ですよねえ」と、素知らぬ顔で相槌《あいづち》を打つだけだった。

この腹黒タヌキに嫌味を言っても、暖簾《のれん》に腕押しか……。

僕が唇を歪《ゆが》めていると、そばにいる鴻ノ池が小首をかしげた。

「でも、天王寺龍牙さんと、今回発見された遺体ってだいぶ様子が違いますね。どういうことなんでしょう？」

「最初の事件の際、身元が分かるものを全て取り去ったにもかかわらず、すぐに遺体の素性が見抜かれました。ですから今回は指紋まで焼いて、さらに徹底的に、身元を示す手がかりを消したと考えることができます」

「それじゃあ、今回だけ縛られていることについては？」

鴻ノ池にさらに疑問をぶつけられた桜井は、「さあ」と両掌《りょうて》を上に向ける。

「全く見当もつきません」

拍子抜けした僕の頭に、ふと疑問が浮かぶ。

「そもそも、この二つの事件って本当に同一犯の犯行なんでしょうか？」

「おや？　天王寺龍牙さんが事件に巻き込まれた可能性があるので、司法解剖すべきだと主張したのは小鳥遊先生ではありませんでしたか？」

「そうなんですけど、二つの事件ってあまりにも様相が違っている気がするんですよね……。たとえば一つ一つが単独の事件だったりとか……」

僕がおずおずと言うと、桜井はふっと相好を崩した。

「たしかに細かい部分では、二つの遺体の様相はかなり異なっています。ただそれをはるかに凌駕《りょうが》する類似性が二つの事件にはあります」

「類似性……。熱帯夜に男性が裸で凍死したこと……」

僕がつぶやくと、桜井は「そのとおりです」と重々しく頷いた。

「二体目の遺体が発見された夜も、夜中の気温が二十五度を上回り、さらに湿度も極めて高い熱帯夜でした。にもかかわらず、司法解剖で間違いなく凍死であったという報告が出ている。うだるような暑さの中、凍え死んだというあまりにも異様な共通点から、少なくとも二つの事件は何らかの強い関連がある。それが捜査本部の見解です」

桜井がそこまで説明したとき、それまで黙って考え込んでいた鷹央が声を上げた。

「司法解剖で他になにか分からなかったのか？　天王寺龍牙はおそらくは有機溶剤によるものと思われる肝硬変を患っていた。二体目の遺体には、そのような特徴はなかったのか？」

「だめですよ鷹央先生」

桜井はウィンクをする。

「ギブアンドテイクと言ったのはあなたでしょ。今度は私たちが情報をいただく番ですよ」

「しおれたおっさんに、そんな気障《きざ》な仕草は似合わねえよ。それに情報なら小鳥と舞から、いまいろいろ聞き出していたじゃないか」

「おや、気づいていたんですか？」

桜井はしれっと言う。やはり鷹央が自分の世界に入っている隙に、彼女に気づかれないように僕たちから情報を搾り取るつもりだったようだ。

腹黒タヌキの面目躍如といったところか……。

「まったく油断も隙もあったもんじゃない。で、どうなんだ？　司法解剖でなにか手がかりになりそうな情報はなかったのか？」

「さっき先生がおっしゃったような、特別な疾患などは確認できませんでした。ただ血液中から興味深いものが検出されました。なんだと思います？」

「知らないよ。もったいぶってないで、さっさと答えを言え」

鷹央は大きくかぶりを振った。

「大量の睡眠薬、そしてアルコールです」

「睡眠薬とアルコール……」

鷹央は口元に手を当ててつぶやく。

「つまり命を落とす直前、被害者は薬物とアルコールの影響で昏睡《こんすい》に近い状態だったということか？」

「捜査本部はそう考えています。昏睡状態にし、さらに手足をロープで縛り、口には猿轡まで嚙ませた。犯人は徹底的に被害者を動けない状態にしていたものと思われます。さらには強引に飲まされていたのか、皮膚からも高濃度のアルコールを含んだ酒の痕跡が確認されました」

「天王寺龍牙には拘束されたような形跡はなかった。ただアルコールに関しては、搬送時に酒臭かったという小鳥の証言と一致するな。もしかしたら天王寺龍牙も薬物とアルコールで昏睡状態にされてから凍死させられたのかもしれない……」

鷹央は小さな唸《うな》り声をあげながら十数秒考え込んだあと、桜井に視線を送る。

「最も単純な解答は、昏睡状態にされた被害者たちが巨大な冷凍庫にでも押し込められて、凍死させられたということだ。捜査本部もそう考えているんじゃないか？」

「さあ、どうでしょう？」

桜井は空惚《そらとぼ》ける。鷹央は小さく舌をならしたあと、ひとりごつようにつぶやきはじめた。

「小さな冷凍庫では凍死する前に窒息死してしまう可能性が高い。しかし今回の遺体は司法解剖で凍死だったと確定している。また冷え切った壁に体があたったら、その部分に特徴的な凍傷が生じるだろう。しかし、私が観察した限り、天王寺龍牙の遺体にはそのような痕跡はなかった。つまり閉じ込められて殺されたとするなら、かなり巨大な冷凍倉庫と考えられるということだ」

先々週、天王寺龍牙の遺体を見た際、その可能性は僕も考えたが、どうなのだろうか？　僕は横目で桜井の様子をうかがう。彼は鷹央の言葉を否定も肯定もせず、人の良さそうな笑みを顔に湛《たた》え続けるだけだった。

気にするそぶりも見せず鷹央は説明を続ける。

「そこまで巨大な冷凍施設は、それほど数はない。警察ならお得意の人海戦術で、当てはまる冷凍倉庫をしらみつぶしに調べるだろう。近隣の施設なら、二、三日もあれば、全て当たれるはずだ。にもかかわらず、お前たちは情報を求めてここにやってきた」

鷹央は桜井たちを見ている目をすっと細めた。

「冷凍倉庫をしらみつぶしに当たるという捜査方針が、行き詰まっている証拠だ。ほかの可能性がないのか、私からヒントをもらおうとしている。そうだろ？」

水を向けられた桜井は、「ご想像にお任せします」と苦笑いを浮かべる。その仕草は、ほぼ肯定に近いものだった。それを見て、鷹央の顔に不敵な笑みが浮かんだ。

「今回の二つの事件には、まだまだ分からないことが多い。二人目の被害者はいったい誰なのか？　そいつと天王寺龍牙はどのような関係だったのか？　なぜ二人目の被害者は、便利屋を名乗って天王寺龍牙の部屋を片付けたのか。そいつと一緒に便利屋を名乗っていた男たちは誰で、犯行に何か関わっているのか？」

続けざまに疑問を挙げた鷹央は、大きく両手を広げる。

「それらの小さな謎を一気に解き明かし、この事件の真相をあばく方法は一つだ」

鷹央は顔の横でぴょこんと左手の人差し指を立てた。

「二つの事件の共通点であり、最大の謎。被害者たちは熱帯夜にどのようにして凍死したのか。そして、犯人たちはなぜそんなことをしなくてはならなかったのか。それを解明すれば、自然と一連の事件の裏に横たわっている真相が露《あら》わになるはずだ」

「あなたには、もうそれが分かっているっていうんですか⁉」

成瀬が興奮気味に声を上げると、鷹央は首を横に振った。

「いんや、まだ何もわかってないぞ」

「なんだよ……。期待して損した」

吐き捨てるように成瀬が言う。鷹央の額にしわが寄った。

「お前たちと違って、私はたったいま二番目の事件を知ったばかりなんだ。そんなすぐに答えが出るわけないだろ。そもそも先週の日曜に、お前がもっとちゃんとあの偽便利屋どもを調べていたら、いま頃この事件は解決していたかもしれないんだぞ」

早口でまぜっかえされた成瀬は、唇をへの字に歪める。室内に険悪な空気が漂ってきた。

「まあまあ二人とも落ち着いて」

「そうですよ。仲良くいきましょ、仲良く」

桜井と鴻ノ池が慌てて二人の間をとりなす。

「で、鷹央先生、これからどうやって『アイスマン事件』の謎を解くつもりですか」

答えを予想して気が重くなりつつ僕が訊ねると、鷹央は勢いよく拳を突き上げた。

「謎を解くためには、まだまだ情報が足りない。というわけで手がかりを探しに行くぞ。遺体発見現場、つまりは久留米池公園だ」

……ですよね。

3

「今日は何時に帰れるんだろう……」

ハンドルを握りながら愚痴がこぼれてしまう。

病院を後にした僕は、鷹央、鴻ノ池、そして二人の刑事を愛車のCX－8に乗せ、久留米池公園へと向かっていた。

ふと横顔に視線を感じた僕は、助手席に座っている鷹央を横目で見る。

「なんですか？　僕の顔に何かついていますか」

「いや、やけにあっさりと、お前が久留米池公園に行くことに同意したと思ってな。いつもなら、『僕たちは医者です。事件の捜査なんて医者の仕事じゃありません』とかなんとか言って、渋るじゃないか」

「渋ったところで、結局は鷹央先生に強引に押し切られるから無駄だと学習したんですよ」

「それだけか？」

鷹央に問われ、僕は思わず苦笑いをする。

この人、いつもは他人の気持ちに鈍感なくせに、時々こちらの心を見透かすようなことを言うんだよな。

「あとは……、天王寺さんを救急で担当したからです」

「天王寺を担当したこと？」

鷹央はよくわからないといった様子で、首を傾けた。

「救命はできませんでしたけど、天王寺さんは僕の患者でした。そして、僕が刑事を説得できなかったせいで、どうして死んだのか分からないまま、荼毘《だび》に付されてしまいました。天王寺さんに診断を下せなかったこと、彼がどうして亡くなったのか、それを解き明かせなかったこと。実はずっと気になっていたんです」

「……それは診断医としてか」

鷹央は静かに訊ねる。僕はフロントガラスの向こう側に視線を送ったまま、ゆっくりと頷いた。

「はい、診断医としてです」

先々週の土曜日、鷹央はすでに死亡している天王寺に診断を下そうと、彼の最後の声、最後の想《おも》いを拾いあげようと、すっぽんのような執念で、謎に喰《く》らいつき続けた。

その姿を目の当たりにした僕は、刑事に諭されてあっさりと司法解剖を諦めた自分を恥じた。

だから鷹央がこの事件を調べようとしだしたとき、またおかしなトラブルに巻き込まれる危惧と同時に、汚名返上のチャンスだという気持ちが湧きあがってきたのだった。

「いい心掛けだ」

視界の隅で鷹央がニヒルな笑みを浮かべる、そのとき後部座席から声がひびいた。

「ほら小鳥先生、あれがこの前言ってたタワーマンションですよ。めっちゃすごくないですか？」

後部座席の真ん中にいる鴻ノ池が、隣に座っている成瀬の方に身をのりだし、サイドウィンドウから外を眺めていた。

「あの最上階とか、買ったらいくらぐらいするんだろ？　うわー、どんな人が住むんだろうな。芸能人とかスポーツ選手かな」

顔をしかめる成瀬を気にするそぶりも見せず、鴻ノ池ははしゃいだ声を上げる。

つられて僕も、右前方にそびえ立つ巨大な建造物に視線を向ける。おそらくは四十階建て以上はあるタワーマンションが二棟、直角に交わるように建っている。東京とはいえ、都心から大きく離れたこの付近では飛び抜けて高い建物だ。周りに一戸建ての民家が多いので、その高さが際立って見える。

『バベルの塔』という単語が脳裏をよぎった。

「そんなのどうでもいいから、まだ久留米池公園にはつかないのか？」

一週間以上、謎に対する飢餓に苦しめられていた鷹央は、もはや我慢が利かなくなったのか、助手席で両手足をばたつかせはじめる。

「助手席で暴れないでくださいよ。もうすぐ着きますから。ああダッシュボードを蹴らないで。汚れるじゃないですか」

騒がしい車内に辟易《へきえき》しながらさらに五分ほど運転し、僕は愛車を久留米池公園の駐車場へと停《と》める。

車を降りた僕たちは、すでに日が落ちて暗くなっている公園内へとはいり、遊歩道を進んでいった。

「なんか、『カッパ事件』のことを思い出しますね」

まばらに立つ街灯の薄い明かりに照らされた遊歩道を進みながら、僕は隣に立つ鷹央に声をかける。

「え、『カッパ事件』って何ですか？　知らないんですけど」

耳ざとく話を聞きつけた鴻ノ池が騒ぎ出した。

「一年位前に、この公園で起きた事件だよ。肝試しをしていた小学生の男の子が、

『池からカッパが現れるのを見た』って相談しに来たんだ」

「え、カッパですか？　この池、妖怪とか出るんですか」

鬱蒼《うっそう》とした森の向こう側にかすかに覗く、巨大な池の闇が揺蕩《たゆた》う水面に視線を向けながら、怪談が苦手な鴻ノ池は表情を引きつらせた。

「そんなわけないだろ。ちゃんと鷹央先生が、現実的な真相を暴いてくれたよ」

「ですよね。よかった……」

鴻ノ池が胸を撫《な》でおろすと、前を歩いていた桜井が振り返って、いたずらっぽい笑みを浮かべてくる。

「分かりませんよ。この公園に、怪物が出るっていう噂があるんですから」

「怪物？　なに馬鹿なこと言ってるんですか」

僕が呆《あき》れ声を出すと、桜井の表情がわずかに引き締まった。

「それが馬鹿なこととも言い切れないんですよ。第一発見者のホームレスが、怪物の唸り声を聞いたっていうんです。その怪物が被害者を殺したと、彼はおびえています。先日は〝吸血鬼〟騒動もありましたしね」

「怪物が人を殺したってそんな……」

どう反応していいのかわからず、僕が戸惑っていると、隣を歩いている鷹央が声を上げた。

「怪物の唸り声を聞いたというのは、第一発見者のホームレスだけなのか？」

「いいえ違います。私たちは他にも事件の目撃者がいないか、この公園に住み着いているホームレスに徹底的に聞き込みをしました。その結果、ほぼ全員が〝声〟を聞いていることが分かりました」

「全員が『怪物の唸り声』と言っているのか？」

「いえいえ、さすがにそんなことはありません」

桜井は首を横に振る。

「共通しているのは、被害者が発見された夜に、腹の底に響くような低い不気味な音を聞いたということです。怪物の唸り声以外には、地響きの音、猛獣の鳴き声、巨大なダンプが走る音などと表現している者たちがいました」

なんとなく、その音がどのようなものなのかイメージできてきた。

「それって、風の音か何かじゃないですか？　三日前と言えば、夜に強い風が吹きましたよね。それが森の木の葉を揺らしたとか、そういうもんじゃないですか？」

僕の常識的な意見を、桜井は「それは違うと思います」と切り捨てた。

「証言をしたホームレスたちの多くは、かなり長い期間この公園に住み着いています。けれどその『怪物の唸り声』を聞きはじめたのは、ごく最近で、それまでは聞いたことがなかったということです」

それなら違うか……。じゃあいったい何の音なんだろう。その音は『アイスマン事件』と関係あるのだろうか？　僕が思考を巡らしていると、鷹央が左手の人差し指を立てて喋りはじめる。

「人を凍え死にさせるような怪物といえば、まず考えられるのは妖怪の雪女だな。かなりメジャーな妖怪で、小泉八雲《こいずみやくも》の記した『怪談』の中でも、雪女の伝説は紹介されている。その起源は古く、室町《むろまち》時代にはすでに記録に記されている。一般的には白装束を着た美しい女性で、凍《い》てつくような息を男に吹きかけて殺すとされ……」

気持ち良さそうに『雪女』についての知識を垂れ流す鷹央を、成瀬が「いい加減にしてください」と遮った。

「被害者たちが、雪女に呪い殺されたとでも言うんですか？　馬鹿げている。そんなことありえない」

「なんで『ありえない』って断言できるんだ」

雪女についての解説を邪魔された鷹央は、苛立たしげに声を上げた。

「なんでって……、常識的に……」

戸惑い声で成瀬が答えると、鷹央は「常識？」と小馬鹿にするように鼻を鳴らした。

「常識なんていうものは、生まれ持った環境で押し付けられた偏見に過ぎない。自らの視野を狭める鎖だ。そんなものに縛られていたら、自由な発想などできるわけがないだろ」

「……あなたは本気で、雪女が被害者たちを殺したかもしれないって思っているんですか？　ホームレスたちは、雪女が吹雪を吐く音を聞いたとでも？」

成瀬は正気を疑っているような眼差しを鷹央に向ける。

「いまの時点ではその可能性も排除はしない。『全ての不可能を消去して、最後に残ったものが、いかに奇妙なことであってもそれが真実となる』。それが不可思議な事件を捜査するときの基本だ」

シャーロック・ホームズの名言を口にした鷹央が、成瀬とにらみ合っていると「まあまあ二人とも、落ちついて」と桜井が二人の間に割り込んだ。

「今回の犯人が雪女の可能性があるかどうかは、私には分かりませんが、こんなところで言い争っていても仕方ありませんよ。とりあえず遺体発見現場まで行きましょう」

「そうだな……」

鷹央がすこしだけ不満そうにしつつも頷くと、「ただ、現場に行く前に一つだけ教えろ」と低い声で言った。

「先々週の金曜日、天王寺龍牙がこの公園で凍死した夜、そのときも『怪物の唸り声』は聞こえていたのか？」

桜井は表情を引き締め、ゆっくりとあごを引いた。

「はい、聞こえていたと、何人かのホームレスが証言しました」

鷹央は「なるほどな。よく分かった」と頷くと、あごをしゃくった。

「それじゃあ、アイスマンが発見された現場を見に行くとしよう」

再び桜井たちを先頭に歩きはじめた僕たちは、うす暗い森の中を通る遊歩道を進んでいく。

この久留米池公園は、中心にある巨大な池を取り囲むように全周二キロ以上の広さがある。昼間は地域の憩いの場として、多くの人々が散歩や、釣り、ボートなどを楽しんでいるらしいが、日が落ちると、その様相は一変する。

覆いかぶさるように密に茂っている常緑樹の葉が、月明かりや街の光を遮り、弱々しい街灯の光しかないその遊歩道は、まるで暗いトンネルのようになる。

虫の鳴き声、池に走るさざ波が砕ける音、そして風に揺れる樹々《きぎ》のざわめきが混ざり合い、胸をざわつかせるようなどこか不吉なハーモニーを奏でていた。

去年のカッパ事件や吸血鬼事件のときも思ったが、なにか人智《じんち》を超えた怪物が潜んでいてもおかしくないような、不気味な雰囲気が辺りに漂っている。

ただ、カッパならまだしも、雪女というのはどうだろう？　雪女って普通は雪山とかに出るもんじゃないか？　こんな蒸し暑い都会のジャングルのど真ん中に現れるなんて、なんとなくイメージが違う……。

僕がそんな下らないことを考えていると、先頭を歩いている桜井が「こちらです」と遊歩道を外れ、森へと入っていく。

薄く遊歩道を照らしていた街灯の光も届かなくなり、暗順応した目でも、自分の足元すらはっきりとは確認できないほど闇が濃くなる。

人並み外れて夜目が利く鷹央は普通にすたすたと歩いていくが、僕たちは転ばないように足元を確認しながら慎重に歩かなければならず、歩みが遅くなってしまう。

「ほ、本当に何か出そうなんですけど……」

隣を歩く鴻ノ池が震え声を出しながら、腕をつかんでくる。

「……放してくれないかな」

僕が言うと、鴻ノ池はキッと睨みつけてくる。

「なんでですか⁉　怯《おび》えているか弱い女の子に頼られたら、男性としては普通、嬉しいもんじゃないですか？」

「いや、か弱い女の子なら確かに嬉しいかもしれないが、お前じゃな……。正直言うと、……なんか怖い」

「どういう意味ですか⁉　なんで私が怖いんですか！」

鴻ノ池が甲高い声を上げる。

「お前に何度も投げ飛ばされているからに決まっているだろ！」

僕の放った正論に、鴻ノ池は「うぐっ」と、喉に物を詰まらせたような声を漏らす。

幼い頃から合気道を習っているという鴻ノ池の腕前は、達人レベルだ。相手が大柄の男性でも、いとも簡単に投げ飛ばしたり、関節を極《き》めるほどの実力を持っている。

医大生の六年間、空手部に所属し、稽古に明け暮れた僕でも、本気で戦ったら勝てるかどうか怪しい。ちょっとでも油断をすれば、こちらの力を利用されて吹き飛ばされ、肩関節ぐらい外されかねない。

これまでの一年の付き合いで、鴻ノ池に投げ飛ばされた苦い経験が走馬灯のように脳裏を流れていく。

そんな相手に腕を両手で摑《つか》まれているのだから、恐怖をおぼえるのは当然だ。

「その節は誠に申し訳ありませんでした。毎回理由が無きにしもあらずとはいえ、反射的に投げ飛ばしてしまったことは重々反省しております。だからいまはちょっとだけ、腕を貸してください。じゃないとぶん投げますよ」

謝罪なのか脅迫なのか、よくわからない言葉を吐きながら、鴻ノ池は潤んだ目で僕を見つめてきた。

恐怖で余裕がなくなっているのが伝わってくると同時に、僕の腕を摑む手に力が込められる。

ここで断ったら、パニックになった鴻ノ池に本当に投げ飛ばされかねない。普段はこちらにダメージがないよう、受け身が取りやすいように気をつけて投げる鴻ノ池だが、いまの状態ではその気遣いすら期待できない。

本気で恐怖を感じた僕が「わかったって。好きにしろ」と上ずった声を上げると、鴻ノ池の手から力が抜けていった。

僕と鴻ノ池は同時に、違う理由で安堵の息をはく。

「ああ、すみません。さすがに暗いですよね」

僕たちの足が止まりかけていることに気づいたのか、前を歩く桜井が小型の懐中電灯をコートのポケットから取り出して点《つ》ける。この森に降りている深い闇を溶かすには心もとない弱い光だが、それでも足元は充分に見えるようになった。これで転ぶ心配はないだろう。

「ライト持っているなら、早く出してくださいよ」

半泣きの声で抗議する鴻ノ池を連れて、僕はさらに森の奥へと進んでいく。遊歩道から外れて五分ほど進むと、桜井が足を止め、「ここです」と声をあげた。

背の低い茂みに囲まれた、直径三メートルほどの雑草が生えた空間。その中心あたりの雑草が、なにか重いものに潰されたかのように倒れていた。おそらく、そこに遺体があったのだろう。

「規制線は張られていないんだな。それに、見張りの警察官もいない」

鷹央はきょろきょろとあたりを見回す。

「遺体が発見されてから、もう何日も経《た》っていますからね。あたりは鑑識が徹底的に調べましたので、すでに規制は解除されています」

「なるほど、写真に写っていた場所だな。ここに遺体があったってわけか」

雑草が倒れている部分に近づいた鷹央は、唐突にそこでひざまずく。

「さすがに暗いな。おい桜井、照らしてくれ」

桜井が「はいはい了解です」と懐中電灯で地面を照らすと、鷹央は四つん這《ば》いになり、鼻先が触れそうなほど地面に顔を近づける。

なんかマーキングしている場所を探している犬みたいだな……。

口に出そうものなら張り倒されかねない感想が頭をよぎる。

「雑草は倒れてはいるが、まだ枯れてはいない。ここに倒れていた遺体と違って、強い冷気を浴びたりはしていないようだ」

鷹央のつぶやきに、桜井は「ええ」と小さく頷く。

「鑑識も調べましたが、遺体以外にこの周辺で、何かが凍りついたような痕跡は発見できませんでした」

「ということは、ここで凍死した可能性は低いか……」

「はい捜査本部でも、ガイシャは他の場所で殺害され、その後ここに遺棄されたと考えています。なのでさっき先生がおっしゃったように、周辺にある人を閉じ込められるほど大きな冷凍倉庫を探しているのですが、どうにも……」

桜井はもじゃもじゃの頭を掻いた。

「警察は、被害者たちが凍死するほど寒い場所に閉じ込められ、殺されたと考えているんだな」

「当然でしょう」

さっき鷹央と言い争ってから、ずっと黙っていた成瀬が声を上げる。

「こんな残暑が厳しい中、他の方法でどうやってガイシャを凍死なんてさせられるっていうんですか。また雪女とか言い出すんですか？」

嫌味ったらしく成瀬が言うが、すでに謎との格闘をはじめ、それに集中している鷹央が、さっきのように感情的になることはなかった。

「雪女かどうかは分からないが、強い冷気を吹きかけられたことによる凍死の可能性はどうなんだ？」

「その可能性は低いと考えられています」

桜井が即答する。鷹央は首を傾けた。

「なぜだ？　窒素の沸点はマイナス百九十六度だ。つまり液体窒素はそれ以下の温度になる。それを吹きかけることで、人間を凍死させることは可能なはずだ」

「あ、たしか皮膚科でイボを液体窒素で凍らせて、治したりしていました」

不気味な森での行進が終わり、少し余裕ができたのか、鴻ノ池が右手を挙げる。しかしその左手はいまだに僕の袖を固く握ったままだった。

「そう、比較的容易に作れることから、液体窒素は医療や工業、その他さまざまな分野で利用されている。なぜそれが凶器ではないと警察は判断したんだ？」

鷹央はまだ地面に膝をついたまま桜井を見上げる。

「司法解剖の結果からです。ガイシャに火傷《やけど》の跡はありませんでした」

桜井の答えに鷹央は「なるほどな」と鼻の頭を撫でる。

「もし液体窒素のような超低温の物質を浴びせられたら、ひどい低温火傷を負う。それが見られなかった。つまり、超低温の物質を吹きかけられ、急速に凍死したわけではないということだな」

「そのとおりです。この現場で検視官が行った検視でも、遺体の外表の温度より、体内の温度の方が低温でした。もし超低温の物質で急速に冷やされたなら、逆の状態になるとのことです」

「じっくりと時間をかけて内臓まで冷やされ、凍死したということか。そして体表部は外気である程度温められたが、体内はまだ冷えたままだった」

「ええ、そう考えるのが妥当です」

桜井の答えを聞いた鷹央は、立ち上がって膝についた汚れを落とす。

「だからこそ警察は、ゆっくりと体を冷やし低温火傷を残すことなく凍死させることができる、冷凍倉庫を調べているってわけか」

「雪女に凍える息を吹きかけられたんじゃないということですね」

混ぜ返してくる成瀬に一瞥《いちべつ》をくれると、鷹央は「それは分からないぞ」と肩をすくめた。

「雪女の息が、どのような原理で人を殺すかまでは、小泉八雲の『怪談』でも他の記録でも記されていないからな。もしかしたら被害者の口から入り込んで体内から凍り付かせて……」

「鷹央先生、とりあえず雪女のことは置いておいて、ほかの可能性を検討しませんか」

このままでは話が先に進まないと判断した僕は、鷹央を促す。鷹央は思いのほか素直に「まあ、そうだな」と頷いてくれた。

「妖怪の犯行などの超常的な事件は、他の可能性を全て潰したあとに浮かび上がってくるものだ。まずは、もっと現実的な方法を検討しないとな」

「非現実的と分かっているんじゃないですか……」

不貞腐《ふてくさ》れたようにつぶやく成瀬を、桜井が「成瀬君もまあ、そのくらいにして」と窘《たしな》める。

鷹央は腰の後ろで両手を組むと、茂みに囲まれた空間をゆったりとした足取りで歩きはじめた。

「ちょっと歩くともう池か……」

鷹央が言うとおり、茂みの奥の五メートルほどの位置に、暗い水面が見えた。

「もしかして池に落ちて凍死したとか、そういうことはありませんかね。気温に比べれば、水温は低いと思うんですよ。被害者たちが服を着ていなかったのは、服が濡《ぬ》れたのを隠す為《ため》とか……」

思いついたことを口にした僕に、鷹央は凍えそうなほど冷たい視線を投げかけてくる。

「お前……、本気でそれがあり得ると思っているのか？」

「いえ、それは……」

頭に浮かんだことを口走っただけなので、あり得るかどうかまでは検討していなかった。

「いくら気温よりは低いとはいえ、こんな残暑が厳しい中、凍えるほど水温が低下するわけがないだろ。それに二人目の『アイスマン』の遺体は司法解剖されたんだぞ」

鷹央は「池に入ったような痕跡はあったか？」と桜井に視線を送る。

「それはありません。溺れたときにみられる、遺体の肺に水が溜《た》まってるようなことは確認できませんでした。また、皮膚から池に生息する微生物などが発見されたという報告もありません。それに……」

桜井は大きく両手を広げる。

「この周囲は鑑識や所轄署の警察官などにより、徹底的に捜索が行われました。それでも池で溺れた痕跡は発見できませんでしたし、公園に住むホームレスたちへの聞き込みからも、そのような目撃情報は出てきませんでした」

完璧に可能性を潰された僕は、黙ってうつむくことしかできなかった。

「これまでの情報から考えると、やはり被害者は別の場所で凍死し、何者かが遺体をここに遺棄した可能性が高いな。ホームレスたちは怪しい人物などを見ていないのか？」

鷹央が訊ねると、桜井は渋い顔になる。

「残念ながら目撃情報はありません。ここにはそれなりの数のホームレスが住み着いてはいますが、それ以上にこの公園は広い。さらに見ての通り、夜になると森の中は真っ暗です。こう言っては何ですが犯罪をするにはもってこいの場所なんですよ」

「公園内はそうかもしれないが、公園の外の目撃情報はないのか？　成人男性の遺体を運ぶとなるとかなりの重労働だ。一人でできるとはとても思えない。おそらくは複数人が、車などを使って搬送したはずだ。防犯カメラの映像などから、犯人の足取りくらいは判明するんじゃないのか?」

鷹央の疑問に桜井は、「はい、おそらく」と首を縦に振る。

「ただ、付近に住んでいる人々への聞き込みや、防犯カメラの映像の解析となると、大変な労力を要します。最終的には遺体を搬送した人物たちの足取りをつかむことができ、犯人までたどり着くことができると思われますが、それにはかなりの時間がかかります」

「なるほどな」

鷹央は口角を上げる。

「最終的に犯人を捕まえる自信はあるが、私を使えばもっと早く、手軽に犯人までたどり着けるかもしれないということか。だからこそ、私が事件の捜査をするのを止めるどころか、こうやって遺体発見現場まで案内してくれたんだな。体よく利用しようってわけだ」

「滅相もない。鷹央先生を利用しようだなんてそんな失礼なこと、これっぽっちも考えてはいませんよ」

芝居じみた仕草でかぶりを振る桜井を見て、「本当に腹黒だな、お前」と鷹央は唇の端を上げた。

「さてひと通り、現場の状況は確認できた。あとは……」

鷹央がそうつぶやいたとき、音が響いた。内臓を揺らすような重い音が。

僕たちは一斉に振り返り、音が聞こえてきた方向、夜の帳《とばり》が下りた森の奥に視線を向ける。

「い、いまのってなんですか⁉　何の音なんですか⁉」

鴻ノ池がかすれ声を上げる。僕の腕を摑んでいる両手から、細かい震えが伝わってきた。

「僕にも分からないよ。地響き、いやまるで……」

まるで巨大な猛獣の唸り声、もしくは女性の慟哭《どうこく》のような音だった。

鴻ノ池の手に、さらに力が込められていき。そして……。

「いててててて⁉　ちょっと待て！　関節を極めるのやめろ！」

鴻ノ池に手首を捻《ひね》られ、手首、肘、肩の関節を同時に極められた僕は悲鳴を上げる。合気道の連行術。相手の動きを制したまま、自由自在に移動させる高等技術だ。

「だってこうでもしないと、小鳥先生、自分だけ逃げようとするかもしれないじゃないですか。『怪物』が来たら、男らしくか弱い乙女である私を守ってくださいよ。その間に私は逃げますから」

「お前は決してか弱くなんてない。それに『男らしく』なんて時代遅れだ。そもそも、先輩を囮《おとり》にして自分だけ逃げようとするんじゃない！」

痛みと恐怖で余裕がなくなって、立て続けにつっこみを入れている僕のそばで、鷹央は音が聞こえてきた方向を見つめ、立ち尽くしていた。

「凍死……、アルコール……、『怪物』の唸り声……」

半開きの鷹央の口から平板なつぶやきが漏れ出すのを聞いて、僕は気づく。鷹央の超高性能の頭脳が、この事件の真相に近づきつつあることを。

次の瞬間、鷹央は何かに操られたかのように、フラフラとした足取りで歩きはじめる。暗い闇に覆われた森の奥、『怪物』の唸り声が聞こえてきた方向へと。

「ああ、鷹央先生、待ってください」

鴻ノ池に極められている腕を、（関節が軋《きし》むほどの痛みに耐えて）強引に振りほどくと、僕は鷹央のあとを追う。

しかしフクロウのように夜目が利く鷹央と違い、僕は暗い足元を確認しながらでないと、闇に支配されたこの森を進むことはできない。鷹央の小さな背中がみるみる遠ざかっていく。

「あ、ちょっと、どこ行くつもりですか⁉　そっちって『怪物』の声が聞こえてきた方じゃ……」

鴻ノ池が上ずった声で言う。

「怖いなら、おまえは来なくても大丈夫だ。そこで待っていていいぞ」

僕が進んでいくと、隣に桜井が並んだ。

「鷹央先生、何か気づいたみたいですね」

桜井は懐中電灯を、鷹央が消えていった森の奥に向ける。おかげでだいぶ進みやすくなった。成瀬も無言でついてくる。

「ああ、待ってくださいよ。私も行きます。こんなところに一人でおいてかないで」

半泣きになりながら鴻ノ池も追いついてきた。

僕たちは木々の奥にかすかに見える鷹央の背中を追って、ひたすら森を進んでいく。

「しかし、さっきの無気味な音は何だったんでしょうね」

茂みを懐中電灯を持つ手でかきわけながら、桜井がつぶやく。

「分かりませんけれど、あれを聞いて鷹央先生は何かに気づきました。きっと、この『アイスマン事件』の真相を暴くための、重要な手がかりのはずです」

やがて、辺りが少しずつ明るくなってきた。前方の木々の向こう側から光が漏れてくる。さらに進んでいくと、森を抜けて歩道に出た。ガードレールの向こう側に片側二車線の車道が横たわっている。

「どうやら、公園の外に出たようですね。えっと……、鷹央先生はどちらに？」

桜井がきょろきょろとあたりを見回す。そのとき、鴻ノ池が「あ⁉　あっちです！」と右側を指さした。そちらを見た僕は目を剝《む》く。赤信号の横断歩道を、鷹央がふらふらと進んでいた。

近づいてきたスポーツカーがけたたましいクラクションを鳴らして、急ブレーキをかける。

「危ない！」

僕がアスファルトを蹴って走り出すと同時に、鷹央から三メートルほどの距離でスポーツカーが停車する。

スポーツカーは、邪魔だとばかりに続けざまにクラクションを鳴らすが、鷹央はそれが耳に入らないのか、前方を見つめながらゆっくりと進み続けた。

車が来ていないことを確認して横断歩道に飛び出した僕は、鷹央に追いついてその手を握る。

「鷹央先生、なにやってるんですか⁉　赤信号ですよ」

「赤信号？」

鷹央はいぶかしげに聞き返す。その目の焦点が合っていないことに気づき、背中に冷たい震えが走った。

雪女は氷の息で相手を凍らせるだけではなく、人魚の歌声のように相手を惑わせ、引き寄せるという話を聞いたことがある。一見すると鷹央の様子は、まさに怪異に魅了され、操られているかのようだった。

そんな馬鹿なこと、あるはずがない。頭を勢いよく振った僕は、スポーツカーに向かって会釈すると、鷹央の手を引いて小走りに横断歩道を渡る。

「どうしたんですか？　急に歩き出したから、びっくりしたじゃないですか。しかも、赤信号の横断歩道を渡るなんて……」

僕が早口でまくしたてると、鷹央はゆっくりと口を開いた。

「わかったんだ……」

「わかったって、まさか『アイスマン事件』の真相がですか⁉」

「真相……。これが真相なのか？　しかし少なくとも、熱帯夜に男を凍え死にさせた『怪物』の正体はわかった」

「『怪物』の正体が⁉」

僕が声を裏返したとき、青信号になった横断歩道を鴻ノ池、桜井、成瀬の三人が渡ってくる。

「どういう意味ですか、怪物の正体が分かったって⁉　まさか本当に雪女が被害者を殺したとか、そういうわけじゃないですよね？」

僕の問いに、鷹央は左手の人差し指でこりこりとこめかみを掻く。

「残念ながら、『怪物』の正体は雪女ではない」

いや、別に残念ではないんだけど……。内心でツッコミを入れる僕を尻目に、鷹央は言葉を続ける。

「『怪物』はあそこにいる」

鷹央はこめかみに当てていた左手の人差し指を、前方に向ける。

彼女が指さした方向を見た僕たちの口から、次々に驚きの声が漏れる。

「マンション……？」

二棟のタワーマンションを見上げながら、桜井が呆然《ぼうぜん》とつぶやく。

「あそこに、ガイシャを殺した犯人が隠れているってことですか？」

成瀬が声を張り上げる。

「いまからそれを説明しに行くんだ。ついて来い」

振り返ることもせず鷹央は言って、タワーマンションに向かって歩いていく。僕たちは顔を見合わせると、鷹央に続いた。

住宅街を数分歩いていくと、高い金属製のフェンスが現れる。なぜか普通の工事用のフェンスよりかなり厚みがあり、頑丈そうな作りだった。

そのフェンスに付いている工程予定表を見た僕は首を捻る。そこには、一週間の予定が全て『未定』と記されていた。

「建設が遅れているっていう噂は聞いてたけれど、工事自体が止まっているんだ」

僕がつぶやくと、「知らないんですか？」と成瀬が呆れを含んだ声で言う。

「近隣住人の間で反対運動が広がっていて、工事は一ヶ月以上前から中断しています。かなり大きな話題になっていますよ」

「反対運動？　なんでですか？」

「さあ、そこまでは知りません」

自分だって、詳しくは知らないんじゃないか……。

「そもそも、マンション建設をするときって、地域住民とは早い段階で話し合って、同意をとっておくものじゃないんですか？」

僕が疑問を口にすると、鷹央は「普通ならそうだな」と声を上げる。

「ただ実際に建設をしてみて、予定外の事態が起きたら話は別だ」

「予定外の事態って、どういうことですか？」

訊ねるが、鷹央は思わせぶりに微笑むだけで答えてはくれなかった。

いつもこうなのだ。謎が解けても、鷹央はすぐには説明しようとしない。できるだけ僕たちを驚かせるシチュエーションまで待ってから、ようやくすべての真相を一気に暴くのだ。

「もったいぶらないでくださいよ。本当にここにホシがいるんですか？」

成瀬が苛立たしげに声を上げる。

「説明するよりも、実際に感じた方が早いさ。ほれ、ついてこい」

鷹央は再び歩みはじめた。

実際に『見る』でなく『感じる』？　僕が違和感をおぼえていると、鷹央はフェンスの下を見下ろしていた。そこには少し地面にくぼみがあるせいで、四十センチほどの隙間ができていた。

「ここなら、小鳥と成瀬みたいなデカブツでも通れそうだな。よし入るぞ」

「ちょ、ちょっと、ダメですよ！」

地面に手をついて、隙間に潜り込もうとする鷹央を僕は慌てて止める。鷹央は「何がダメなんだ？」と顔をしかめた
何がって、そりゃダメでしょ……。

僕は横目で桜井と成瀬を見る。最近、捜査の際に軽い違法行為をすることに抵抗がなくなっている感があるが、いまは刑事が二人もいるのだ。しかも、そのうちの一人は、全く融通が利かない石頭ときている。

ここで不法侵入などしようものなら、止められるだけならまだしも、下手をすれば逮捕されかねない。僕は必死に目配せをする。

「ああ、刑事がいる前で不法侵入をするのが気になるのか」

苦労があっさりと台無しにされ頭を抱える僕を尻目に、鷹央は「ちょっとぐらい良いよな?」と、刑事たちにとんでもない提案をする。

「良いわけないでしょ!」

成瀬が大声を上げた。

「まあ、そう固いこと言うなって。お前らも事件の真相を知りたいんだろ? 犯人を捕まえたいんだろう?」

悪魔のような囁《ささや》きに、成瀬の厳《いか》つい顔にわずかに動揺が走る。

「だからって目の前で不法行為をするのを、警察官が見逃せるわけがないです!」

「ちょっと中を覗くだけだって。不法侵入と殺人事件、どっちのほうが大切なんだ」

「……犯罪に大きいも小さいもありません」

わずかに迷いを含んだ口調で成瀬は答えた。

「はぁ、この脳みそまで筋肉でできた石頭じゃだめか……」

これ見よがしにため息をついた鷹央は、桜井に顔を向ける。

「では、腹黒タヌキならどうだかな?」

「そう言われましても、私も警察官ですからね。目の前で不法行為をされるのを黙って見過ごすわけにはいきませんよ」

苦笑いする桜井に、鷹央は大きく舌を鳴らした。しかし、すぐに桜井は言葉をつなぐ。

「ただし、緊急事態なら話は別です」

「緊急事態……？」

眉をひそめて数秒間考え込んだあと、鷹央はにやりと口角を上げると「いま悲鳴が聞こえなかったか？」と視線を上げた。

「え、悲鳴ですか？　特には聞こえなかったと思うんですけど……」

戸惑いながら僕が答えると、鷹央は「何を言っているんだ！」と大仰な仕草でかぶりを振る。

「いまはっきり聞こえたぞ。助けを求めるか弱い女の悲鳴がな。どうだ、桜井？　お前には聞こえなかったか？」

「さあ、どうでしょう？　ただ、言われてみれば何か、悲鳴のような声が聞こえた気がしますね」

芝居じみた桜井のセリフを聞いて、僕はようやく二人の意図を悟る。適当な理由を作って、工事現場に入ることを正当化しようとしているのだ。

そんなことをして、いいのだろうか……？　僕が呆れていると、鷹央は「それは大変だ！」と大きく両手を広げる。

「この中で誰かが襲われているのかもしれない。善良な市民と、市民を守る義務のある警察官としては、確認しないわけにはいかないだろう」

まるで大根役者が棒読みするかのような口調で言うと、鷹央は再びしゃがみ込む。

「ちょっと桜井さん！　いいんですか？」

成瀬が焦りの滲《にじ》む声を上げた。

「当たり前じゃないか、成瀬君。鷹央先生が言ったように、市民の安全を守るのは、我々、警察官の義務だ。悲鳴が聞こえたならその中を調べないわけにはいかないよ」

鷹央に負けず劣らずわざとらしいセリフを吐いた桜井は、鷹央の後ろでひざまずいた。

「……あとで問題になっても、俺は知りませんからね」

諦めたのか、成瀬ががりがりと苛立たしげに頭を掻くと、振り返った鷹央がすっと目を細めた。

「とかなんとか言って、お前もついてくるつもりなんだろ。反対する素振りだけして責任逃れをしているが、何だかんだ言って『怪物』の正体が気になるんだろ？」

図星だったのか、成瀬は渋い表情になる。

「まあいい。早くしないと、助けを求めている善良な市民の身が危ないからな」

再び大根役者のような口調で言うと、鷹央は迷うことなくフェンスの隙間にその小柄な体を滑り込ませた。刑事たちが後に続く。

成瀬がその巨軀を縮こめて、なんとか隙間に体を押し込んでいくのを眺めていると、鴻ノ池が僕の手を引いた。

「何を突っ立っているんですか？　私たちもさっさと行きますよ」

不気味な森から出たためか、さっきまでの怯えた態度は完全に消え去っていた。

「お前、怪物が怖いんじゃないのか？」

呆れ声で言うと、鴻ノ池はパチパチと不思議そうに瞬《まばた》きをする。

「でも、この辺りはもう暗くはないですし」

不気味な雰囲気の森にいたときは怯えていたが、そこを出て住宅街に移動したことで、好奇心が恐怖を凌駕しているようだ。いまいち、こいつの基準がわからない。

「ほら早く行きますよ。来ないなら関節極めて強引に連れて行きますからね」

「わかったよ。行くよ。行けばいいんだろ」

諦めた僕は、鴻ノ池とともにフェンスの隙間をくぐった。

敷地内に入った僕の口から、「おおっ」と感嘆の声が漏れる。

大きめの野球場ほどはある芝生が敷き詰められた庭園に、背の低い樹木が点々と植えられ、小さな池まであった。

子どもが木登りや水遊びをする未来が見えるようだ。庭園の奥には二棟のタワーマンションがV字型に建っており、その手前には共用施設らしき、二階建ての小さな建物が見える。しかし、なぜかその建物の周囲は背の高い雑草が生えていて、まるで廃墟のような雰囲気を醸し出していた。

鷹央は「よし、行くぞ！」と胸を張って芝生を踏みしめ、進んでいく。

「近づいて大丈夫なんですか？」

追いついた僕が声をかけると、鷹央は「何がだ？」と聞き返してきた。

「何がだって、ここに『怪物』がいるんでしょう？　もっと慎重にならなくていいんですか？」

「それなら大丈夫だ。司法解剖で結果が出ていただろ。被害者は時間をかけて、ゆっくりと凍死させられたと。つまり『怪物』にいきなり殺される心配はない」

「本当に、『怪物』のせいで凍死したっていうんですか？」

疑念を隠しきれない口調で僕がたずねると、鷹央はあごを引く。

「そうだ。被害者は異形の『怪物』に凍える息吹を吹きかけられ続けたことによって体温を奪われ、その結果、命の灯を吹き消されたんだ」

「長時間？　それって具体的にはどれくらいの時間なんですか？」

鴻ノ池が訊ねると、鷹央は「そうだな……」と口元に手を当てる。

「少なくとも一時間以上はかかっただろうな」

「一時間⁉」鴻ノ池が驚きの声を上げる。「そんなに長い時間がかかるんですか？」

「そうだ。だからこそ被害者は、手足を縛られ、さらにはアルコールと薬物で昏睡状態にさせられていたんだ」

鷹央が得意げに説明する。それを聞いた成瀬が、頭痛を覚えたかのようにこめかみを押さえた。

「待ってください。さっきからなにを言っているんですか？『怪物』が被害者の手足を縛って拘束し、酒と薬で動けなくした上でゆっくりと息を吹きかけて凍死させた？　そんなの馬鹿げている」

「違う違う」

鷹央は大きく手を振る。

「縛ったり、酒と薬物を投与したりしたのは怪物じゃない。犯人だ。いや『犯人たち』かな。さすがに、一人でこれを全部やるのは困難だから」

「犯人⁉」

成瀬の声が大きくなる。

「あなたは『怪物』が被害者を殺したって言っていたじゃないですか。犯人っていうのは、どういうことなんですか？」

「『怪物だけが殺した』とは、一言も言っていないぞ。この事件は、犯人たちが『怪物』を利用し、被害者を殺害したものだ」

顔の横で左手の指を立てながら、鷹央がゆっくりと進んで行く。

「意味がわからない。どういうことですか？　その『怪物』というのは一体何なんです？」

成瀬が苛立たしげに訊ねたとき、『声』が聞こえてきた。森の中で聴いたあの地の底から響いてくるような、低く内臓を揺らす声。その『声』は明らかに僕たちの正面、二つのタワーマンションの前に建設中の、二階建ての建物から聞こえてきていた。

「な、なんですか……、いまの声？」

恐怖を思い出したのか、鴻ノ池の顔が歪む。

「もちろん『怪物の声』だ。同時にそれは、被害者を殺した凍える息吹の音でもある」

「じゃあ『怪物』っていうのは、あの建物の中に居るんですか？」

僕は二十メートルほど離れた位置にある、建築中の建物を指さす。そのとき、再び『声』が響いた。さっきよりも遥《はる》かに強く。

正面から突風が吹いてきて、鷹央の長い髪を大きく揺らした。

「違う。『怪物』はあの建物の中に隠れているわけじゃない。そもそも隠れてなんかいないんだよ。私たちはずっと、『怪物』の姿を見ているんだ」

そこで言葉を切った鷹央はいたずらっぽく微笑むと、顔の横に立てていた左手の人差し指を正面に向ける。

「あれこそが『怪物』だ」

高らかに言いながら、鷹央は指さした。V字型にそびえ立つ二棟の巨大なタワーマンションを。

「あのタワーマンションが……、『怪物』……?」

マンションを見上げながら僕は呆然とつぶやく。

「そうだ。あれこそが被害者を凍死させた『怪物』だ」

鷹央は歌うように言った。

「どういうことですか? 正直、わけが分かりません」

戸惑い顔で桜井がつぶやくと、鷹央は「なんだよ。ここまで言ってもわからないのか」とさらに建物に近づいていく。それにつれて、風も強くなっていった。建物まであと五メートルほどのところまで来ると、鷹央の柔らかそうな黒髪はもはや旗のようにたなびくほどになる。

「すごい風ですね」

茶色がかったショートカットを鴻ノ池が押さえる。

「そう、風だ!」

鷹央は指を鳴らした。

「このマンションは一ヶ月ほど前から、周辺住民の反対運動により工事が中断している。しかし、さっき小鳥が言ったように、普通、反対運動というのは工事がはじまる前に起こる。ここまで工事が進んでから反対運動が本格的になるっていうことはあまりない。ほぼ建物が完成してからでは、反対しようが対応は難しいからな」

鷹央は風に負けないように声を張り上げる。

「つまり、建ててみないとわからなかった問題が生じた可能性が高い。それがこの風だろう。日当たりの問題などは建築前から正確にどこが日陰になるかわかるのに対し、風の流れというのはとても複雑だ。実際に建築してみて初めて強い風が吹くことがわかるということもめずらしくない」

鷹央は二棟のタワーマンションを見上げた。

「このような高層ビルの場合、上空の風が建物に当たり地上に強く吹き下ろす、ビル風が生じることがある。さらにこの二つのタワーマンションは珍しいV字型をしている。つまり風を集めやすい形をしているんだ」

「けど、このマンションがほぼ完成したのはもう三ヶ月前ですよ。どうして一ヶ月前になって急に大きな問題が出てきたっていうんですか？」

成瀬が頭を振る。

「たぶん、窓ガラスを入れたせいだ」

「窓ガラス？」成瀬が聞き返す。

「そうだ。景観を楽しむためか、このマンションはかなり大きく窓を取っている。そして窓ガラスというものは一般的に、建築を終えてからまとめてはめ込むことが多い」

「ああ、そのせいで風の流れが変わったんですね」

僕は声を上げる。鷹央が「おそらくな」と視線を送ってきた。

「それまでは窓の部分が空いていたので、マンション内に風が吹き込み、それらが地上へと吹き下ろすことはなかった。しかし三ヶ月前に建物が完成し、窓ガラスがはめ込まれたことにより、部屋に吹き込んでいた風が地上へと吹き下ろすようになった」

「それで強い風が吹くようになって、周囲の住民から苦情が来たってわけですか」

「周囲の住民からの苦情も問題だが、そもそもここまで強い風が吹いていたら、このマンションに入居する者たちがいなくなるだろう」

ひと際強い風が吹き、鷹央はたたらを踏んだ。

「今日はそこまで荒れた天候ってわけでもないのに、この強風だ。台風でも来ようものなら、とんでもない突風が吹くことになる。庭園の様子からみてもマンションの居住者として想定しているのはファミリー層だ。子どもが転んで、大けがをするリスクがある」

そうだろうな……。僕は内心でつぶやく。成人とはいえ、小柄で体重の軽い鷹央はすでに風にあおられている。彼女より体重が軽い子どもだと、激しく転倒して危険だろう。

工事用のフェンスがやけに頑丈そうだったのも、住宅街に強い風が吹きつけるのを避けるためか。

「風のせいで、このマンションの工事が一時止まっているのはわかりました。けれど、さっき響いた『怪物の声』はいったい何なんですか？」

桜井の問いに、鷹央は「よくぞ聞いてくれた」とばかりに微笑む。

「簡単だ。『怪物の口』から出る咆哮《ほうこう》さ」

「怪物の口？」

桜井がいぶかしげに聞き返すと、「それが『怪物の口』だ」と目の前の二階建ての建物を指さした。

「マンションとは違い、この建物にはまだ窓ガラスが入っていない。つまりマンションで生じた強烈なビル風は、この建物の内部に吹き付けていることになる。吹奏楽器と同じような原理だな。強い風が空洞に向かって吹くことによって空気が振動し、腹の底に響くような低音が響き渡るんだ。それこそが『怪物の声』の正体だ」

説明は終わりとばかりに、鷹央は両手を合わせた。

「待ってくださいよ」成瀬が大きく手を振る。「なにを全て説明したような顔をしているんですか。俺たちが知りたいのは怪物の声の正体じゃない。ガイシャがどうして命を落としたかです」

鷹央は「まだ分からないのかよ」と渋い表情を浮かべる。

「言っただろ、『怪物の凍える息吹』によって被害者は凍死したって」

「まさかその風に冷やされて、凍死したなんて言うわけじゃないでしょうね」

「いや、言うぞ。風を吹きつけられ続けたことによって、被害者は体温を奪われて死亡したんだ。被害者が発見された前の夜は、かなり天候が悪かった。風の強さはいまの比ではなかっただろう。そして、体感温度というのは気温だけではなく、風の強さによっても変化する。風が強ければ強いほど体感温度は下がり、体温が奪われていくんだ」

得意げに説明を続ける鷹央に、桜井がおずおずと声をかける。

「風が強ければ寒くなるのは何となくわかるんですが、あの夜は熱帯夜でした。気温も湿度も高かった。いくら風が強いからって、その状況で人間が凍死するとはどうしても思えないのですが……」

「お前たちは重要なファクターを忘れている」

「ファクター?」桜井は首をひねる。

「そう、アルコールだよ」

鷹央は再び左手の人差し指を立てた。

「ガイシャがアルコールを飲んでいたのが問題なんですか？　酒を飲むと凍死しやすくなるということですか？」

桜井の疑問に、鷹央はあきれ顔になる。

「飲んでいることが重要なんじゃない。浴びていることが重要なんだ。思い出してみろ。被害者の皮膚からアルコールを浴びた痕跡が確認されていただろ」

アルコールの痕跡……。その瞬間、僕の頭にひらめきが走る。

「気化熱！」

反射的に声を張り上げると、鷹央は「そうだ」と僕を指さした。

「アルコールは沸点が極めて低く、すぐに気化して熱を奪っていく。それを気化熱という。注射をする前の消毒で、アルコール綿で拭かれた部分が冷たくなった経験ぐらいあるだろう」

鷹央は二人の刑事に視線を向ける。彼らは曖昧に頷いた。

「あれが気化熱だ。そして、ただでさえ気化しやすいアルコールに強い風が当たったらどうなると思う？」

「どうなるって、乾くんじゃゃ……」

自信なさげに桜井がつぶやくと、鷹央は満足そうな笑みを浮かべた。

「そう、一気に気化しやすくなって乾くんだ」

「じゃあガイシャの体にアルコールがかけられていたっていうのは、無理やり飲まされたからではなく……」

呆然とつぶやく成瀬の言葉に、鷹央は「そうだ」と頷く。

「犯人たちは被害者の体にアルコールをかけ続けたんだ。気化熱によって体温を奪い、凍死させるためにな。被害者の体内から高濃度のアルコールが検出されたのは、皮膚に残っているアルコールの痕跡を、酒を大量に飲まされたためとごまかそうとした結果だろうな」

「いまの推理は間違いないんですか？　ガイシャは本当にアルコールをかけられ、風を吹きかけられて殺害されたんですか？」

興奮を孕《はら》んだ声で桜井が訊ねる。

「断定はできないが、状況証拠からその可能性は極めて高い。あとは殺害現場をしっかり調べればきっと明らかになるはずだ」

「殺害現場って、どこにあるんですか⁉」

成瀬が前のめりになる。

「これまでの話をまとめると、ある程度予想がつくはずだ。まず強い風に長い時間晒されていることから、このマンションの敷地内だと考えられる。さらにこの庭園はかなり見通しが良い。工事が中断して関係者が立ち入る可能性は低いとはいえ、周りから見えるような状況で犯行に及んだとは考えにくい。最低限、視界が遮られる場所だろう」

「視界が遮られる場所……」

僕はつぶやきながら正面にある建築中の建物を眺める。

「そうだ。あの『怪物の口』、そここそが、すべての条件に当てはまる場所だ」

鷹央が目の前の建物を指差すと同時に、成瀬と桜井が芝生を蹴って走り出した。

「おい、ちょっと待て。謎を解いたのは私だぞ。抜け駆けするんじゃない」

鷹央は吹きつけてくる風に堪えつつ、刑事たちを追っていく。

本当に目の前の建物が事件現場なのだろうか？　そこで、天王寺龍牙と先日見つかった被害者は殺害されたのだろうか？　立ち尽くしていた僕は、鴻ノ池に「私たちも行きましょうよ」と促され、建物に近づいていった。

ふと僕は、出入り口のわきの土が剝き出しになった地面に鉄の扉があることに気づいた『高圧電流　危険　関係者以外立入厳禁』と目立つ文字で記されており、無骨な南京錠がかけられていた。

「小鳥先生、なにしているんですか。先行っちゃいますよ」

声をかけられた僕は、「ああ、悪い」と鴻ノ池とともに建物に入る。そこには、暗いがらんとした空間が広がっていた。受付らしきカウンターがあり、その奥にまっすぐ廊下が伸びている。壁でいくらか遮られるのか、外ほど風は強く吹いてはいないが、それでも室内の空気が激しく流れているのを感じる。それほど大きくはないが、重低音が鼓膜と内臓を揺らしてくる。

見ると、壁に『取り壊し工程表』という紙が貼ってあり、一ヶ月ほど後から工事がはじまる予定が記されていた。

強い風により、ここに建物を置いておくことはできないという判断になったのだろう。建設会社としては大きな損失だ。

「何しているんですか？　鷹央先生たち、もう奥に行っていますよ」

鴻ノ池に声を掛けられ、僕は我に返る。

「ああ、悪い。それじゃあ行くか」

鴻ノ池と並んで正面の廊下を進んでいくと、まだ扉のはまっていない戸口の奥に部屋があり、そこに鷹央が立っているのが見えた。

「鷹央先生、なにかありましたか？」

鴻ノ池とともに部屋に入った僕は、そこに広がっている光景を見て大きく息を呑む。

おそらくは、フィットネスルームかレクリエーションルームにでもなる予定だったのであろう広いスペース。全面ガラス張りにするつもりだったのか、外に向かって壁がほとんどなく、タワーマンションから吹き下ろしたビル風が強く吹き込んでいた。

しかし僕の意識を引いたのは、吹き込む風ではなく、そこの床だった。風のせいで落ち葉や砂で汚れたフローリング、そこに男物の服、ロープ、猿轡、そして十数個のウォッカの酒瓶が転がっていた。

「……ここが犯行現場で間違いなさそうですね」

遺留物を見下ろしながら成瀬が言う。そばに立つ桜井が「そうだね」と低い声で答えた。

「すぐに捜査本部に連絡して、鑑識をよこすように言ってくれるかな」

桜井に指示された成瀬は、「はい」とスーツのポケットからスマートフォンを取り出す。

「鷹央先生、どうしたんですか？」

鴻ノ池の声で我に返った僕は、視線を刑事たちから、そばに立つ鷹央へと移動させる。

この建物に入る前は満足げだった鷹央の童顔には、いまは厳しい表情が浮かんでいた。

「なにかがおかしい……。なにかが……」

鷹央のつぶやきを、吹き込んでくる強風がかき消していった。

赤色灯の明かりが目に染みる。

タワーマンションのそばの建物で、殺人の遺留品と思われる品々を見つけてから約一時間後、僕たちは敷地の端に所在なく立っていた。

鑑識の捜査員らしき者たちが、せわしなく建物に出入りし、その周りをしおれたスーツを着た男たち（おそらくは捜査本部に所属する刑事たちだろう）が取り囲んでいる。

「さっきから、どうしたんですか、鷹央先生」

僕は隣に立つ鷹央に声をかける。せっかく犯行現場が見つかり、『アイスマン事件』のトリックが解けたというのに、彼女はずっと眉間にしわを寄せ、難しい顔で考え込んでいた。

「やっぱり、なにかがおかしい……」

一時間前と同じつぶやきを鷹央は口にする。

「おかしいって、なにがですか？」

鴻ノ池が訊ねると、鷹央は口元に手を当てた。

「私はあの建物、『怪物の口』が犯行現場だと推理した」

「その推理は当たっていたんじゃないですか？」

「ああ、当たっていた。けれど、私はあそこに遺留品があるなんて、想像だにしていなかった」

「どういうことですか？」

僕が首を捻ると、鷹央は「お前はおかしいと思わないのか？」と湿った眼差しを向けてくる。

「久留米池公園で見つかった第二のアイスマンは、全裸にされ、指紋まで焼かれて、徹底的に身元が隠されていた。かなり計画的な犯行であることがうかがわれる」

「ええ、そうですね」

僕が頷くと、鷹央は「なのに……」と風に揺れる髪をかきあげた。

「あの建物には、まるで『見つけてくれ』と言わんばかりに、遺留品が残されていた。なぜ犯人は持って帰らなかったんだ。あまりにもおかしい」

「いわれてみれば、違和感ありますね」

鴻ノ池が人差し指を唇に当てる。

「もしかして、被害者が殺されたのは、あそこの建物じゃなかったかもしれないってことですか」

鷹央は数秒間考えたあと、首を横に振った。

「いや、状況証拠から被害者があそこで吹きつけてくる強い風と、アルコールの気化熱で凍死させられたのはまず間違いないだろう。犯行場所を偽装しようとしても、警察の鑑識たちが徹底的に調べれば、すぐにばれるはずだ」

「じゃあ、どういうことになるんでしょう？」

鴻ノ池が小首をかしげる。鷹央は「わからんよ」と、乱暴に頭を掻いた。

「慎重に被害者の身元を隠した犯人が、大量の遺留品を残していた。犯行に対する姿勢がまるで違う、そもそも、なんでこんな面倒なことをしたのかわからない」

「面倒なこと？」

僕が聞き返すと鷹央は「そうだ」と大きく頷いた。

「強い風が吹きつける場所を探し、そこで被害者にアルコールを少しずつかけ続け、時間をかけて凍死させる。どんな理由があって、そんな手間をかけたんだ？　この事件の裏には、まだまだ大きな謎が隠されている。私はこの事件の真相に全く近づけていなかった」

両手で髪をかき乱しはじめた鷹央に、僕は「落ち着いてください」と慌てて声をかける。

「今日は犯行現場がわかったんだから、よしとしましょう。きっと鑑識がなにか新しい手がかりを見つけて、桜井さんが教えてくれますって。それを待ちましょう。新しい情報が集まれば、あらためてまた真相に近づけるかもしれません」

「そうかもしれないが……」

　鷹央は弱々しくつぶやく。暗く足場の悪い森を歩き、さらに強い風が吹きつけるなか、推理を披露したのだ。もともと体力がない鷹央は限界が近いだろう。

「桜井さんが気を利かせてくれたおかげで、僕たちの事情聴取は後日でいいらしいです。とりあえず今日は帰って休みましょう。頭と体を使いすぎて疲れたでしょ。どこかで甘い物でも買って行きましょうよ」

　僕が提案すると鷹央は「『アフタヌーン』のケーキがいいな……」と上目遣いに視線を送ってくる。

『アフタヌーン』は天医会総合病院から徒歩で十分ほどのところにある喫茶店だ。そこの自家製ケーキは鷹央の大好物で、鷹央がへそを曲げたときの献上品として重宝している。

「さすがに、『アフタヌーン』はもう閉まってますよ。コンビニのスイーツで我慢してください」

「コンビニかあ……」

　鷹央はつまらなそうにため息をついた。

「最近はコンビニスイーツ、かなりレベル高くなってますよ。一緒に食べ比べしませんか？」

鴻ノ池が提案する。

「……そうだな。そうするか」

鷹央が弱々しく微笑むのを見て、僕は安堵の息を吐く。

謎を目の前にしたとき、鷹央は全身全霊でそれに挑む。しかし、それは視野狭窄《きょうさく》を起こすことと同義だった。

一年前の鷹央ならおそらく、鴻ノ池の提案を受け入れることはなかっただろう。この場で鑑識が調べを終えるのを待ち続け、その後、再び現場を調べようとしたはずだ。鷹央が成長していること、そして僕たちを信頼してくれるようになっていることが、嬉しかった。

「それじゃあ、コンビニに向かいますか」

僕たちは警察の要請で、工事の施工会社が錠を外してくれたフェンスの扉を通って外へと出る。もう遅い時間だけあって辺りに人影は少なかった。

CX－8を停めてある駐車場に向かって数十秒進んだとき、背中に冷たい震えが走った。僕は勢いよく振り返る。

「小鳥、なにやってるんだ？」

少し先を歩いている鷹央が不思議そうに声をかけてくる。

「いえ、誰かに見られてるような気がして……」

「なんだよ。お前まで誰かにストーキングされているとか言い出すのか？ お前みたいなごつい大男に惚《ほ》れてつきまとうような奴《やつ》なんて、いるわけないだろ」

「ごつい大男で悪かったですね。こう見えても昔はそれなりにもモテた時期もあるんですよ」

僕が文句を言うと、鷹央は「はいはい、分かった分かった」と虫でも追い払うように手を振る。

「それよりも早くコンビニに行くぞ。スイーツが私を待っているんだ」

甘味への期待で軽い足取りで歩きはじめた鷹央のあとを、僕は「……分かりましたよ」とついて行った。

後頭部に走る、誰かに見られているような感覚を、気のせいだと自分に言い聞かせながら。

4

「やっぱり私、ストーキングされているっぽいんですよね……」

工事現場で『アイスマン事件』の犯行現場とおぼしき場所を見つけた翌週、平日の夕方に勤務を終えて屋上への階段を上がっていると、鴻ノ池が思い出したように言った。

「ストーキングって、この前言ってたやつか?」

「はい、そうです。気のせいかなと思ってたんですけれど、最近確信しました。絶対誰かが私のこと見ています」

「本当かよ……」

階段を上りきった僕は、屋上の扉を開く。

「なんですか、『本当かよ』って。私の言うことを信用してないんですか?」

「いやあ、お前をストーキングする奴がいるって、なんか信じられないというか……」

「どういう意味ですか⁉」鴻ノ池は不満げに眉間にしわを寄せた。「かわいい女の子なんだから、ストーカーに狙われてもおかしくないでしょ!」

「かわいい女の子⁉」

思わず声が大きくなってしまった。鴻ノ池の眉間のしわが深くなる。

「どこからどう見ても、かわいい女の子じゃないですか。前にも言いましたけど、私、けっこう人気があるんですよ。同僚の男子とか、先輩ドクターとかによくデートに誘われるんですからね」

まあ、客観的に見れば、鴻ノ池の外見はかなり整っている方だろう。健康的な魅力に溢《あふ》れている。ただ……。

「ただ、いくら外見が良くても中身がなぁ……」

「私の中身の何が問題なんですか⁉」

甲高い声を上げる鴻ノ池に、僕は湿った視線を投げかける。

「普段の僕に対する行いを、胸に手を当てて思い出してみろ」

「普段の……」

鴻ノ池はスクラブに包まれた胸元に片手を当てて少し考え込んだあと、「それは置いといてですね」と、にっこりと微笑んだ。

「露骨に話をずらすんじゃない！」

つっこみを入れるが、鴻ノ池は気にせず話し続ける。

「本当に最近、視線を感じるんです。しかもこの病院の中でも」

「院内にストーカーがいるっていうのかよ。さすがにそれはないんじゃないか」

「そんなの分からないですよ。病院って、たくさんの人が出入りするじゃないですか。見舞客のふりをして関係ない人がまぎれこんでいても誰も気づかないだろうし」

「まあそうだけど……」

僕は曖昧に相槌を打つ。

「それに、先週、工事現場から帰るとき、小鳥先生、誰かに見られてる気がするとか言ってたじゃないですか。もしかしたら、あれも私のストーカーだったのかも」

「さすがに考えすぎだろ……。たぶん、気のせいだよ」

僕が気のない返事をすると、鴻ノ池の顔に赤みがさした。

「絶対に気のせいなんかじゃありません。私、他人の気配とか視線とかにすごい敏感なんですよ」

鴻ノ池は武道の達人だ。相手の気配を感じ取る能力に長《た》けていてもおかしくはない。

「いつか絶対に犯人を見つけて、捕まえてやります」

鴻ノ池は拳を握りしめる。

「……相手に怪我をさせないように気をつけろよ」

そんな会話を交わしているうちに、僕たちは〝家〟の前までやってくる。赤レンガで作られた鷹央の自宅兼、統括診断部の医局、その玄関先で足を止めた僕たちは、顔を見合わせると大きなため息をついた。

「私のストーカーより、鷹央先生の方が問題ですね」

「ああ、そうだな」

僕は暗い声で同意する。

ここ最近、鷹央の機嫌は最悪だった。『アイスマン事件』の真相解明が中途半端なまま、情報不足のため、それ以上の捜査ができなくなった鷹央は、大好物を前にしてお預けを食らっているようなものだ。

最初の二、三日は、まだ落ち着いていたが、桜井からの情報をいまかいまかと待っているうちに、ストレスが溜まっていくのが目に見えて分かった。

最近は、そのストレスを紛らわせるために、大量のお菓子を食べるという生活に戻ってしまっている。本当に糖尿病になりかねないのでなんとか止めたいところだが、止めれば『謎』に対する飢餓感で、精神的に不安定になりかねない。

どうすればいいかわからないまま、僕たちは鷹央が菓子を貪るのを見守るしかなかった。

「そろそろ鷹央先生、限界ですよね」

「ああ……」僕はゆっくりと頷く。「なにか、新しい『謎』でも見つけて、気がまぎれればいいんだけど……」

「けど、そんなに都合よく、鷹央先生のお眼鏡にかなう『謎』なんて出てきませんよね」

「最近は他科から診察依頼される患者も、僕たちで診断がつけられるぐらいの症例ばっかりだからな」

僕は暗い声でつぶやくと、玄関扉を開けて室内に入った。

「鷹央先生、依頼された患者の診察を終えてきましたよ」

おそるおそる僕が報告すると、「お疲れさん」というやけに明るい声が響いた。見ると、ソファーに寝そべった鷹央が楽しそうに漫画本を読んでいた。

「ご機嫌ですね。何かいいことでもあったんですか」

もしかして面白い『謎』でも舞い込んで来たのだろうか。

「もうすぐ桜井が来るらしい」

鷹央は漫画本をわきに置いて両手を広げた。

「事件現場の鑑識結果が揃《そろ》ったし、他にもいろいろと情報があるから直接話しにくるって、さっき連絡があった」

なるほど、宙ぶらりんになっていた『アイスマン事件』の新しい情報が手に入ることになり、この一週間のストレスから解放されたのか。

僕と鴻ノ池が同時に安堵の息を吐いたとき、ノックの音がひびいた。

「入っていいぞ」

鷹央が嬉々《きき》とした声で言う。玄関扉が開き、コロンボもどきの刑事が「どうもどうも」と軽く手を上げながら入ってきた。

まるで、僕たちが戻ってくるのを見計らったかのようなタイミング……、というかもしかしたら本当に見計らっていたんじゃないか？　鴻ノ池が感じていた視線って、このコロンボかぶれの刑事のものだったりしないか？

僕の視線に気づいたのか、桜井は「何か顔についてますでしょうか？」とまばたきをする。

「……いえ、なんでもありません。しかし、良いタイミングで来ましたね。僕たちもいま、戻ってきたばかりなんですよ」

「統括診断部の皆さんが仕事を終えるのは、ちょうどこれくらいの時間ですからね」

桜井は人の好《よ》さそうな笑みを浮かべた。

こちらの仕事が終わる時間まで把握しているなんて、やはりもはやストーカーみたいなものじゃないか……。

「というわけで、本当は夕方から捜査会議があるんですけど、成瀬君に任せてやってきました」

「いいんですか、それ？　たしか、捜査会議って全員参加するものじゃ……」

「ああ、いいんですいいんです。私なんていなくても、誰も気にしませんから。重要な情報があったら、あとで成瀬君から聞けばいいんですし」

桜井はぱたぱたと手を振りながら、軽い口調で言う。

この人、同僚の中でも浮いているんだろうな……。

そんなことを考えていると、ソファーから立ち上がった鷹央が近づいてくる。

「それで、鑑識の結果はどうだった。何が分かったんだ？　早く教えろ。さっさと教えろ。いますぐ教えろ」

一週間のお預けを食らっていた鷹央は、いまにも襲いかからんばかりに桜井に迫る。

「お、落ち着いてください。ちゃんと、すべてご説明しますので」

鷹央の勢いにさすがに圧倒されたのか、桜井はかすかに怯えを含む口調で言う。

「悠長なこと言ってないで、早く教えるんだ」

鷹央は桜井のネクタイをつかむと、そのまま引きずるように連れていき、一人掛けのソファーに座らせる。

「ほれ、さっさと話せ」

さっきまで寝そべっていたソファーに勢いよく座り込んだ鷹央が、桜井を急かした。

「分かりました分かりました。すぐに説明しますよ」

桜井は曲がったネクタイを直すと、咳払《せきばら》いをした。

「まず、先日は捜査へのご協力ありがとうございました。おかげ様でいろいろなことが判明しました」

「その、『いろいろなこと』って、具体的にはなんだ？」

鷹央は貧乏ゆすりをするかのように、小刻みに体を揺らす。

「まずは何についての説明をご希望ですか？」

「あの『怪物の口』の建物についてだ。あそこが殺害現場だという私の推理は当たっていたか？」

鷹央が早口で訊ねると桜井は大きく頷いた。

「はい、あそこが殺害現場であることは鑑識の報告より間違いないということでした。床からアルコールとガイシャのＤＮＡが発見されました」

「遺留品はどうだ？」

「そちらもＤＮＡ鑑定により、服はガイシャが着ていたもの、縄と猿轡はガイシャを拘束していたものと断定されました」

「つまり、被害者はあそこで拘束され、犯人にアルコールをかけられて凍死したことは間違いないというわけだな」

「はい、間違いありません」

迷いない口調で桜井は答える。

「被害者の身元は分かったのか？」

鷹央の問いに、桜井は弱々しく首を左右に振った。

「いえ、全力で捜査をしていますが、まだ判明していません」

「天王寺龍牙のマンションを、被害者と一緒に片付けていた男たちは？」

「それについてもわかっていません。ただ久留米池公園の周囲の防犯カメラを解析したところ、タワーマンションの工事現場から数人の男が毛布に包まれた物体を運んでいる姿が、発見の数時間前の映像に残っていました」

「やっぱり、犯人は複数か……。そいつらが誰かわかったのか？」

「いえ、全員が帽子を深く被《かぶ》りマスクをしていたので……」

桜井の答えを聞いた鷹央は鼻の頭を掻く。次に何を訊ねるべきか、考えているのだろう。

「なんで犯人たちが、こんなまどろっこしい方法を使ってまで被害者を凍死させたのかについては？」

「まだ結論は出ていません」

「天王寺龍牙についてはどうだ？　あいつも同じように、あの建物で殺されたのか」

「その可能性が高い、というのが捜査本部の考えです」

「どうしてそう思うんだ？」

鷹央の眉がピクリと動く。

「天王寺龍牙さんが、あの工事現場で働いていたからです」

「働いていた⁉」

鷹央の声が大きくなる。

「そうです」桜井はあごを引いた。「天王寺龍牙について詳しく調べたところ大手メーカーを辞めて以来、定職にはついていませんでした。ただ、派遣会社に登録し、電気関係の技術者として不定期に勤務をしていました。その勤務先の一つがあのタワーマンションの工事を受け持っていた建設会社です。半年ほど前から天王寺龍牙はあの工事現場で主に電気配線関係の業務を請け負っていました」

「天王寺龍牙が、あの工事現場で……」

鷹央は腕を組んで黙り込む。ようやく見つけた大きな手がかりを頭の中で咀嚼《そしゃく》しているのだろう。

「あの現場で働いていたということは、やはり天王寺龍牙も同じような方法で殺害されたということか……。しかし、二つの事件は似て非なるものだ……。天王寺龍牙に縛られたような痕跡はなかった……。ということは……」

鷹央が自分の世界に入り込んだのを見て、僕は桜井に声をかける。

「捜査本部は天王寺さんの事件についても殺人事件として捜査をしているんですか？」

「そちらについては、何の証拠もないため、いまのところ保留です。まずは『第二のアイスマン』の方の犯人を逮捕して、尋問していく方針ですね」

だから最初に司法解剖しておけば……。僕は内心で何度目かわからない愚痴をこぼす。

「このあと、警察はどう捜査を続けるつもりなんですか？」

「被害者の遺体を運んだと思われる男たちが、重要参考人であることは間違いありません。引き続き、周囲の防犯カメラの映像を解析し、その足取りをさぐっていきます」

「それってかなり時間がかかりそうですよね」

鴻ノ池がつぶやく。桜井は「はい」と頷いた。

「地道な捜査なので時間もかかるでしょう。けれど、それは我々警察の得意分野でもあります。確実に男たちの足取りをつかみ、その正体をあばきますよ」

日常的に殺人事件の捜査を行っている桜井の言葉には、説得力があった。

「それじゃあ、いまの時点で僕たちにできることはなさそうですね」

僕が言うと、桜井は「いえいえ、そんなことはありません」とかぶりを振る。

「皆さんの、特に鷹央先生のアドバイスには、捜査本部一同、心から期待しております。何か気づいたことなどございましたら、ぜひご教示ください」

営業スマイルを浮かべて調子のいいことを言う桜井に呆れていると、鴻ノ池が「小鳥先生」と小声で囁きながら、脇腹を肘でつついてくる。

「なんだよ？　つつくなって」

「ストーカーです」

意味が分からず、僕は「はぁ？」と呆けた声を出す。

「だから、いまストーカーがこの家を覗き込んでいるんです」

僕が驚きの声を上げかけると、鴻ノ池は慌てて唇の前で人差し指を立てた。

「気づかれないように確認してください。ソファーの後ろの窓です」

僕は目だけ動かして、鷹央の座っているソファーの後ろにある窓に視線を送る。わずかに開いたカーテンの隙間、そこから誰かが室内を覗き込んでいた。

腹の底が冷えていくような感覚に襲われる。

「……どうするんだ？」

桜井に聞かれないよう小声で訊ねると、鴻ノ池の顔に危険な笑みが広がっていった。

「そんなの、決まっているじゃないですか」

「まさか、いま捕まえるつもりか」

「当然です。こんなチャンス、まずありません」

言われてみればそうかもしれない。この屋上には階段室以外に階下に降りる経路がない。いま外に出れば、ストーカーには逃げ場がなくなる。

「私が合図したら、一緒に外に出ましょう。そして挟み撃ちにするんです」

「……わかった」

僕は小さく頷く。

「ただ気をつけろよ。相手は正体不明だ。何をしてくるかわからないぞ」

「大丈夫です。私の合気道の腕、知ってるでしょ」

「……ああ、知ってるよ。文字どおり痛いほどにな」

鴻ノ池に投げ飛ばされたり、関節を極められた記憶が脳裏によみがえり、僕は顔をしかめる。

「じゃあ行きますよ。一、二の、三！」

合図と同時に、僕と鴻ノ池は玄関へと向かって走った。勢いよく扉を開け家の外に飛び出す。背後で鷹央の「何やってんだ、お前ら？」という声が聞こえてくる。

外に出た僕は小走りに、さっきストーカーが覗き込んでいた窓の方へと向かった。角を曲がって〝家〟の側面に出た僕の目が、窓のそばに立ち尽くしている男の姿を捉える。

「何をしているんだ⁉」

僕が鋭く言うと男の体がびくりと震えた。

中肉中背の男だった。年齢は四十代後半といったところだろう。髪はやや薄く、特徴の少ない顔で、着ているスーツにはしわが寄っている。一見すると、どこにでもいるくたびれたサラリーマンといった様子だった。

「……答えてください。ここで何をしているんですか？」

僕が近づいていくと、男は唐突に踵《きびす》を返して走り出した。

「あ、まて！」

僕は男のあとを追う。運動不足の中年男のような外見に反し、男の足は早かった。革靴がアスファルトを叩《たた》く音が屋上に響き渡る。

男が〝家〟の裏手に回り込もうとする。そのとき、男の前に人影が現れた。玄関を出たところで僕と反対方向へと進み、挟み撃ちにするために〝家〟の周りを走ってきた鴻ノ池。

男の口から「うおっ⁉」と驚きの声が漏れる。

二人が衝突する。僕がそう思った瞬間、鴻ノ池は崩れ落ちるようにその場にしゃがみこんだ。全く予備動作のないすべらかな動き。突然、目の前から相手が消え、驚きの表情を浮かべた男は足元にうずくまる鴻ノ池に足をぶつけ、つんのめるようにバランスを大きく崩す。

顔面から倒れる。僕がそう思った瞬間、男はでんぐり返しでもするかのようにくるりと一回転して、足と手で屋上を強く叩いて衝撃を殺す。

柔道などで使われる前回り受け身。柔らかい畳ならまだしも、硬いコンクリートの上で衝撃を殺すとは、かなりの技術だ。

この男、武道の心得がある。単なるストーカーじゃない。

警戒する僕の前で、男は立ち上がろうとする。しかし、その前にしゃがみこんでいた鴻ノ池が跳ね起きて男に駆け寄ると、その鳩尾《みぞおち》の上に右膝を置いた。

「動くな」

膝に体重をかけて男の動きを制しながら、鴻ノ池が鋭く言う。鳩尾を強く圧迫された男の口から、「ぐふっ」という音とともに空気が押し出される。

「小鳥先生、ストーカー捕まえました！」

明るい声で言うと、鴻ノ池は力こぶを作るような仕草をする。

「……なんか、お前、また腕を上げていないか？」

「はい、統括診断部で研修するようになってから、合気道の稽古を本格的に再開しました。あと最近は、空いている時間でブラジリアン柔術とか習っています。ダイエットのために」

「……絶対、ダイエットのためじゃないだろ」

なんかもう、普通に僕より戦闘能力が高いかもしれない。若干引いていると、鴻ノ池に制圧された男がうめくように言う。

「お、俺はストーカーじゃありません」

「ストーカーはみんな『ストーカーじゃない』って言うんです。酔っ払いが『酔っていない』って言うみたいに」

この二週間ほど怯えていたストーカーを捕まえたことでテンションが高くなっているのか、鴻ノ池はよくわからないことを口走る。

そのとき、背後から足音が聞こえてきた。振り返ると、鷹央と桜井がやってきていた。

「どうしたんだ、お前たち？」

鷹央の問いに、鴻ノ池は「ストーカー、捕まえました！」と、興奮で頰を紅潮させてガッツポーズをする。

「ストーカーですか？」

てくてくと近づいてきた桜井は、鴻ノ池に制圧されている男の顔を覗き込んだ瞬間、腫れぼったい目を大きく見開いた。

「服部《はっとり》⁉」

「やあ、桜井。久しぶりだな」

仰向《あおむ》けに倒れた男は、弱々しく微笑んだ。

「え、このストーカー、桜井さんの知り合いなんですか？」

珍しく驚きの表情を晒している桜井に僕が訊ねると、腹黒刑事は口を半開きにしたまま、小さく頷いた。

「私の警察学校の同級生です。ほら、前に言った『公安に行った同期』ですよ」

「いやあ、なんというか新鮮ですね。まさか自分が、こうやって取調べを受ける立場になるとは」

一人掛けのソファーに腰かけた男は、軽い口調で言う。窓の外から〝家〟を覗き込んでいた男を拘束した僕たちは、彼を室内に連行してきていた。

「あらためまして、警視庁公安部公安総務課の服部と申します。以後お見知りおきを」

服部と名乗った男はソファーから立ち上がって慇懃《いんぎん》に言うと、スーツの内ポケットから名刺入れを取り出し、恭しく名刺を配りはじめる。

その姿は腰の低いサラリーマンそのもので、僕は思わず「頂戴いたします」と両手で名刺を受け取ってしまう。そこには『服部良蔵《りょうぞう》』という名と、連絡先だけが記されていた。普通のサラリーマンの名刺のように、会社や所属部署などの記載は一切ない。

「ずいぶんすっきりした名刺だな。さすがは闇に潜んで隠密行動をとる公安部の刑事だ。自分の所属を明かすわけにはいかないからな」

片手で受け取った名刺をひらひらと振りながら、鷹央が皮肉っぽく言う。

「いえいえ、そんな大仰なものではありませんよ。私たちなんて単なる地方公務員にすぎません。ただ、日々相手をしている『お客さん』がやや特殊なだけです」

含みのある口調で言うと、服部はその薄い唇に笑みを湛える。その姿を見て、腹の底が冷えていくような感覚をおぼえた。一見するとうだつの上がらない中年サラリーマンとしか見えないが、やはりこの男も刑事なのだ。しかも、公安というその実態が厚いベールに包まれた部署に所属する刑事。

これまで、映画やドラマなどのフィクションの中でしか知らなかった公安刑事という存在を目の前にして、僕の体に緊張が走る。

「お客さん……ね」

鷹央は思わせぶりにつぶやく。

「警視庁公安部公安総務課ということは、ほかの課が扱わない団体を担当する部署、いわゆる『何でも屋』みたいなポジションだな。カルト団体とかを担当することが多いんだっけか？　そこの刑事がストーカーよろしくうちを覗き込んでいたということは、私たちをカルト団体として調査・監視しようとしているってことか」

「カルト団体⁉　私たちが？」

鴻ノ池がもともと大きな目をさらに見開くと、服部は「まさかまさか、そんな」と顔の前で激しく手を振る。

「皆さんを監視しようなんて、これっぽっちも思っておりません。こうしてみなさんに接触したのは、実はご協力をお願いしたいと思ったからです」

「ご協力?」

鷹央の目がすっと細められる。

「公安部の『協力者』といえば、監視団体の内部に作るスパイのことだろう。まさか、私たちにスパイをやれとでも言うのか? この病院に、お前らの監視対象の危険なカルトの信者がいるとでも?」

鷹央が前のめりになると、服部は「いえいえ滅相もない」と、再び手を振った。

「こちらの病院に監視対象の方なんて、一人もおりません。それは、私が保証します。安心していただいて結構です」

「公安刑事に保証されてもなぁ……」

鷹央はこめかみをコリコリと搔く。その気持ちは僕も同じだった。警視庁公安部というとどうしても、「裏で何やら怪しい行動をとっている正体不明の組織」というイメージがつきまとっている。

「やはりうちの部署は、信用ないですねえ」

服部の顔に自虐的な笑みが浮かぶ。

「まあ確かに我々はかなりの秘密主義で、身内であるほかの警察官からも、『普段何をしているか分からない怪しい組織』とか思われていたりしますからね」

いまさっき、僕の頭に浮かんだのとほぼ同じ内容を口にした服部は、「ただし……」

と続ける。

「仕方ないんですよ。私たちが相手にしているのは主に、テロ行為を起こす可能性があると判断された組織です」

テロ行為という単語を口にした瞬間、服部の表情が険しくなる。

「その組織の内偵を行い、内部情報を可能な限り収集し、犯罪行為を行っているならそれを摘発していく。そうして組織の力を削《そ》ぎ、最終的には壊滅を目指す。奴らが社会を脅かすことを未然に防ぐ。それが我々、公安警察の使命です」

「手の内を敵に知られることは、避けなければならないというわけだな」

「ええ、そうです。公安警察と『お客さん』たちは、いわば常に戦争状態です。まあ当然ですね。われわれは安全な社会を維持するため、彼らを弱体化、可能なら壊滅させようと目を光らせているわけですから。まさに敵そのものです。もしこちらの身元がバレたりしようものなら、敵は我々を始末しようとすることすらあります」

「始末って、殺すってことですか……」

鴻ノ池の頬が引きつる。

「はい、それが公安警察の日常です」

服部がどこか誇らしげに言うと、鷹央は「ふむ」とあごを撫でた。

「お前の立場はよくわかった。では話を戻そう。その公安総務課に所属し、危険なカルト団体と日々、向き合っているお前が、私たちに何の用だ。最近、鴻ノ池につき纏《まと》っていたストーカーというのはお前だろ？」

「ストーカーというわけでは……」

服部は苦笑いすると、頭髪が薄くなっている頭に手を当てる。

「ただ皆さんのことを少し調べさせていただいただけです」

「なぜ、私たちのことを調べたりするんだ」

「もちろん、公安部でも有名な天医会総合病院統括診断部の皆さん、特に天久鷹央先生にご協力いただきたいからです」

「公安部でも有名な？」

鷹央はネコを彷彿《ほうふつ》させる大きな目をしばたたく。

「ええ、先生の名声は公安部内にも響きわたっていますよ。なんといっても、あの大《だい》宙神光教《ちゅうしんこうきょう》壊滅の立役者ですから」

「大宙神光教……」

懐かしいその名を僕はつぶやく。

一年以上前、僕がこの天医会総合病院に赴任してすぐの頃、「宇宙人に操られた」と主張する男が、救急部の部長を殺害するという事件が起きた。その事件の際に関わったのが、宇宙人を『神』と崇《あが》める新興宗教である大宙神光教だった。

僕は鷹央とともに、大宙神光教の信者たちが共同生活を送っている本部施設へと潜入すると、彼らが起こしている犯罪と教祖の正体を暴き、組織を壊滅へと追いやった。

「そうです。大宙神光教は、我々警視庁公安部公安総務課が危険な団体として長らく監視していました。しかし彼らがやっている儀式のトリックがわからず、さらに刑事部がでしゃばったため、もはや摘発は不可能かと思われました」

服部は桜井に視線を送りつつ、あてつけるような口調で言う。

一年前の事件の際、大宙神光教が大量の麻薬を隠し持っているという偽情報をつかまされ、大規模な捜索を行ったものの空振りに終わった経験を持つ桜井は、渋い表情を浮かべた。

「そこに颯爽《さっそう》と現れて、彼らを壊滅に追い込んだのが、あなた方、統括診断部です。それ以来、私たちはあなた方の動向に注目しています」

「注目って具体的には？」

鷹央は首を傾ける。

「この一年であなた方が、捜査一課でも解決できなかったたくさんの事件の真相を導き出していることは知っています。清和《せいわ》総合病院手術部で起きた麻酔科医殺人事件、真夜中の絞殺魔による連続通り魔事件、歴史学者焼死事件、廃病院からの連続転落事件、移植臓器強奪事件……」

服部はこれまで鷹央が解決した事件を、指折り数え上げていく。その情報収集能力の高さに、感心と恐怖が同程度ブレンドされた感情が湧き上がってきた。

「そこまで詳しく知っているということは、どうやら捜査一課の中にも、公安の協力者がいるみたいだね。捜査関係者しか知らないことまで知っている」

桜井は鳥の巣のような頭をガリガリと掻いた。

「そりゃそうさ」

服部はおどけるように肩をすくめる。

「警察学校時代に公安部の捜査員と同じ釜の飯を食った仲間は捜査一課の中にもいる。お互いに情報交換するのは当たり前じゃないか」

「情報交換？　君たち公安部は、一方的に情報を奪い去っていくだけで、何の情報も与えてくれないって有名だけどね。そのせいで、刑事部がどれだけ苦労しているか」

桜井はあてつけるように愚痴をこぼした。

「萎《しお》れたおっさん同士で、話を進めるんじゃない。結局おまえは私に何をしてほしいんだ？」

鷹央の問いに、服部はいまにも揉《も》み手《で》でもしそうな、媚びを含んだ口調で答える。

「いま私たちが取り組んでいる事件に、お知恵を拝借できないかと思いまして」

「知恵をねえ……」

鷹央はこめかみを掻く。

「公安のくせに一般人にそんな簡単に協力を要請していいのか？ あとで問題になったりしないか」

「問題に？ とんでもない。使えるものは何でも使う、それが我々公安部のモットーです。さっきもご説明したように、我々はテロ組織と戦争をしているんですから」

「いつもまどろっこしい建前を用意する刑事部よりは清々《すがすが》しいな」

鷹央は桜井に視線を送る。桜井は気づかないふりを決め込んだ。

「まあ、そこまで言うなら、知恵を貸してやるのはやぶさかではない。ただ私たち診断医は、知識と知能を駆使し、患者に診断をつけることで報酬を受け取っている。そんな私の知恵をただで享受しようとは、もちろん思ってないよな」

「報酬ですか？ では、そちらの先生がさっき俺にやったことを、チャラにするというのでどうでしょう？」

服部に視線を向けられた鴻ノ池は「え、私？」と自分の顔を指さす。

「なるほど、公安警察お得意の『転び公妨』ってやつか。触られてもいないのに転んだり、自分の服のボタンを引きちぎったりして、相手を公務執行妨害で逮捕するやつだな」

「いえ、触られてもいないって……。きれいに吹き飛ばされたうえ、押さえこまれたんですが……」

服部が戸惑い顔でつぶやくが、鷹央は無視して言葉を続ける。

「しかし、その脅迫は悪手じゃないか？　なんと言っても、最初に不法行為を犯したのはお前なんだからな」

「不法行為？」

服部が聞き返すと、鷹央の顔に嫌らしい笑みが広がっていく。

「そうだ、この屋上は天医会総合病院の私有地で、私の自宅の敷地でもある。屋上に繋《つな》がる扉には『関係者以外立入禁止』としっかりと記されている。つまりお前はこの屋上に私の許可なく入り込んだ時点で、不法侵入の罪に問われるんだ。そんなこと許されると思うか」

一週間前、工事現場に不法侵入していたくせに……。僕は内心で突っ込むが、口に出すと面倒くさいことになりそうなので黙っておく。

「つまり舞《まい》は、不法侵入をして、さらに見つかったら逃げようとした人物を拘束したに過ぎない。そして、すぐに警察官である桜井に確保したおまえを引き渡そうとした。これは私人逮捕の要件を満たしており、完全な適法だ。違うか？」

水を向けられた服部は、「……いいえ、違いません」と硬い声で言う。

「フィクションの中では、違法捜査も気にせず行うことが多い公安警察だが、現実では違うよな。お前らが監視している組織を弱体化させるには、司法手続きが必要だ。内偵により組織の中で行われている犯罪を把握したあとの動きは、一般の警察と変わりない。犯罪の証拠を集め、そして逮捕、起訴する」

鷹央の解説を、服部は硬い表情をうかべたまま、黙って聞き続ける。

「もし捜査で違法なことをしようものなら、得られた証拠は裁判で使用できなくなってしまう。当然、検察は起訴すらできない。裁判になって違法捜査による証拠だとわかったら、無罪判決が下され、検察の面目は丸つぶれだからな」

鷹央は軽くあごを引くと、上目づかいに服部の顔を覗き込む。

「そんなヘマをしたら大変だ。公安部が捜査に着手するにも、基本的に検察の許可が必要だからな。検察官に目をつけられたら、もはや監視組織を弱体化させるという公安部の目的は達せなくなる。そうだろ」

鷹央の問いに、服部は唇を固く結んだまま答えなかった。その態度は、鷹央の説明が正しいことを如実に語っていた。

「というわけで、協力しなければ舞を公務執行妨害で逮捕するなどという脅しは利かない。私の知恵を借りたければ、それなりの対価を払うべきだ」

「対価ですか」

服部はどこか冷めた口調でつぶやく。

「もちろん対価ならお支払いしますよ。それほど高額とはいえませんが協力金はしっかりと……」

「違う違う違う」

苛立たしげに鷹央は服部の言葉を遮る。

「金なんていらない。私が求める『対価』はそんなもんじゃない」

「金でないとなると、いったい何をお望みなんでしょうか？」

戸惑った様子の服部が訊ねると、鷹央は顔の前で左手の人差し指を立てた。

「決まっているだろ。情報だ。情報をよこせ」

「情報……」

その言葉を繰り返した服部の顔に、じわじわと笑みが広がっていく。

「なるほど、金より情報ですか。素晴らしい。さすがは腹黒タヌキの桜井が見込んで、頼りにしているだけある」

「桜井さんって、同期の仲間にも『腹黒タヌキ』って呼ばれていたんですね」

僕がつぶやくと、桜井は「いやあ、照れるなあ」と鳥の巣のような頭を掻いた。

いや、褒めたわけじゃないんだけど……。

「それで、天久鷹央先生はどのような情報をご所望で？」

上機嫌になった服部は芝居じみた口調で言う。

「もちろん『アイスマン事件』の謎に関わる情報だ。お前たち公安部もあの事件について調べているんだろ」

「え、『アイスマン事件』を⁉」

僕が驚きの声を上げると、鷹央は小さくあごを引いた。

「一年前から私たちに注目していたというが、あくまでそれは統括診断部についての情報収集にとどまっていた。なのに、いまになって急に接触を試みてきた。そのきっかけは何なのか。そこまで考えれば、答えは明白だ。私たちがいま追っている謎、それについての情報が喉から手が出るほど欲しい状況だからに決まっている」

「『アイスマン事件』の情報を、公安が……」

鴻ノ池が不安げにつぶやくと、鷹央は「そうだ」と頷く。

「あの事件は単純な殺人事件なんかではなく、公安がうごくほどの裏があるというわけだ。そうだな……天王寺龍牙の部屋にいた男たち。あいつらが、公安が追っている団体の構成員といったところか？」

鷹央は探るような視線を服部に向ける。数秒の沈黙のあと、服部は「そのとおりです」と頷いた。

「ということは……」鷹央の声が低くなる。「お前たちは先々週、久留米池公園で見つかった、二体目の凍死体の身元を知っているな？」

僕と鴻ノ池が大きく息を呑み、桜井の表情が険しくなった。

捜査本部が必死に探っている遺体の身元。公安部は最初からそれを知っていたのに、情報を隠していたというのだろうか。

僕たちの視線を浴びるなか、服部はゆっくりと口を開いた。

「はい、知っています」

部屋の空気がざわつくなか、服部はさらに言葉を続ける。

「彼の名前は秋葉《あきば》俊平《しゅんぺい》、……我々の協力者でした」

「公安の協力者ということは、スパイだったということか？」

「スパイという表現は正確ではありませんが、少なくとも彼は我々に情報提供をしていました。……極めて重大な事件についての情報提供を」

「その極めて重大な事件とはいったい何だ」

鷹央に問われた服部の顔に、激しい逡巡《しゅんじゅん》が浮かんだ。

たっぷり一分以上黙り込んだあと、服部は低い声で告げる。彼が、公安が追っている事件を。

「都内連続爆弾テロ事件です」

5

「日本酒もたまには悪くないな」

鷹央が上機嫌でお猪口《ちょこ》を掲げると、服部が「もう一杯どうぞ」と、日本酒を注《つ》いでいく。

屋上で服部を捕まえてから約二時間後の午後八時過ぎ、僕たちは東久留米駅の駅前にある日本料理屋の個室にいた。

「私の行きつけの店なんですよ、日本中の地酒があるんです。いやあ、鷹央先生がこんなにいける口だとは思いませんでした。どんどん飲んでください」

服部が上機嫌に言うと、その隣に座っている桜井がぼそりとつぶやく。

「お前の行きつけの場所じゃなく、公安の行きつけだろ」

「どういうことですか？」

すでにアルコールで頬が赤らんでいる鴻ノ池がたずねると、桜井は皮肉っぽく唇の端をあげた。

「こういう接待は公安の仕事の一つなんですよ。こうして酒と食事で相手の心を解きほぐし、『協力者』に仕立て上げるんです」

「仕立て上げるなんて人聞きが悪いな。協力していただく方々に、せめてものお礼をするのは当然じゃないか」

大仰に両手を広げた服部は、横目でじろりと桜井を見る。

「そもそもどうしてお前までついてきているんだ？　お前の分は奢《おご》らないからな」

「そんな冷たいこと言うなよ。どうせ君のポケットマネーじゃなく、公安部の経費だろ。私がいなければ、君はストーカーとして警察に突き出されていたかもしれないんだ。少しは感謝して欲しいね」

そこで言葉を切った桜井は、すっと目を細める。

「それに君だけで鷹央先生に接触させる気はないぞ」

「鷹央先生は自分が見つけた協力者だから、ほかの捜査員には渡す気はないとでも言うのかい？　それとも公安部が信じられないとでも。同じ警察官の仲間じゃないか」

服部は冗談めかして言った。

「今回の事件について、被害者の身元という極めて重要な情報を隠していた公安部を、信用なんかできるわけないだろ。君たちが情報を提供してくれれば、捜査はもっと簡単に進んでいたはずだ」

「無茶言わないでくれよ。テロ組織に潜入させていた協力者が殺されたなんて、言えるわけないだろ」

服部は大きく両手を広げた。

「まあ、そうだね。協力者を殺されたとなれば、公安部の大失態だもんな。それに、都内連続爆弾テロ事件にかかわっている組織ということは、テロを未然に防ぐという公安部の至上目的に失敗したということだ。確かにおいそれと口にできるものではないね」

桜井はお猪口に唇を付ける。アルコールと別の理由で服部の顔がわずかに紅潮したように見えた。

「警視庁での刑事部と公安部の縄張り争いを、こんな場所にまで持ち込むんじゃない。私の協力を仰ぎたいなら、二人とも仲良くしろ」

鷹央が二人の刑事の言い争いに割って入った。

「一九九五年に起きた警察庁長官狙撃事件では、刑事部と公安部が対立したせいで犯人を逮捕できなかったと言われている。今回の連続爆弾事件でも、それを繰り返すつもりか？　警察内部での縄張り争いと市民の安全、どっちが大切なんだ？」

鷹央は表情を引き締めると、二人の刑事を見つめる。彼らはバツが悪そうに目を伏せた。

「分かったようだな。それじゃあとりあえず、二人で盃《さかずき》を交わせ。私が注いでやる」

「盃を交わすって、普通ヤクザがやることじゃないですか？」

僕のつっこみを黙殺すると、鷹央はいそいそと二人のお猪口に日本酒を注ぎ、最後に自分のお猪口に溢れんばかりに注いだ。

「というわけで、乾杯だ」

鷹央は高々とお猪口を掲げる。わずかにこぼれた日本酒がテーブルをぬらした。

「かんぱーい」

すでに出来上がりかけている鴻ノ池まで、隣でレモンサワーのグラスを掲げて参加するのを眺めながら、運転があるので飲めない僕は、ウーロン茶のグラスを少しだけ持ち上げる。

鷹央は日本酒を一口で飲み干すと、勢いよくお猪口をテーブルに置く。ターンという小気味いい音が個室に響き渡った。

「これで手打ちだ。二人ともグダグダ言い争ってないで、事件について知っている情報をすべて話せ。根こそぎすべてだ」

うまい酒を飲めるうえ、『謎』を解決するための手がかりを手に入れられそうだということで、鷹央はこの上なく上機嫌だった。

「知っている情報って、私はすべて話していますよ。隠しているのは彼だけです」

桜井はあごをしゃくって、服部を指す。

「確かにそうだな。では、話してもらうとするか。公安部がずっと隠し持っていた情報ってやつを」

服部はお猪口を手に持ったまま、硬い表情で黙りこむ。フィクションのなかとはかなり違いがあるものの、公安部が内向きな組織だということは間違いない。どこまで情報を出していいのか、服部の胸の中で激しい葛藤が渦巻いているのだろう。

「お前はさっき、『テロ組織と戦争をしている』と言ったな。その戦争に勝つためには『使えるものは何でも使う』とも」

「……はい、言いました」

服部は重々しく頷く。

「私の『ここ』こそ、その『戦争』に勝つための最大の武器だ」

鷹央は自分の頭を、指先でこつこつとたたく。

「ここに情報という『弾丸』を詰めこむことで、テロ組織を叩き潰す攻撃が可能になる。そのことをお前たち公安部は、大宙神光教の件で知っているだろ」

鷹央が得意げに少しだけ首を反らすと、服部は「ええ、知っています」と小さく頷く。

「……服部」

舐《な》めるように日本酒を飲みながら、桜井が静かに言う。

「市民を守りたいっていう想いは、刑事部も公安部も一緒のはずだよ。だからこそ私は困ったとき、先生にご協力をいただいている。君もいま困っているんだろ？　なら鷹央先生の頭に『弾丸』を詰め込むべきだ」

桜井に促された服部は手の中にあるお猪口を数秒見つめたあと、意を決したかのようにそれを一気に呷《あお》った。

「覚悟が決まったようだな」

鷹央はニヤリと笑う。

「さて、それじゃあお前たちが調べていた『テロ組織』について、詳しく教えてもらおうか」

「はい……わかりました」

服部は小さく咳払いをすると、低く押し殺した声で話し始める。

「組織の名前は『日本の目覚め』といいます」

服部が言うと鴻ノ池はほんのり赤らんだ頬に手を当てる。

「なんか、ダサい名前ですね。じゃがいもの種類みたい」

「それは『インカのめざめ』な」

僕と鴻ノ池のくだらない会話を無視し、服部は説明を続けた。

「元々はそれほど大きな組織ではありませんでしたが、最近になって急速にメンバーを増やし、過激化しています。かつて学生運動をしていた活動家たちが集まって作った団体だと考えられています」

「学生運動ということは、極左の活動家だろう。なんで警視庁公安部の公安総務課が捜査をしているんだ。極左の監視は公安一課か二課の仕事じゃないか？」

鷹央が小首を傾《かし》げる。

「設立したのは極左の活動家たちでしたが、現在の組織思想は極右に近いものがあります。日本は八百万《やおよろず》の神が住む神聖な国であり、その庇護《ひご》のもとにもっと大国にならなくてはならない。それこそ、アメリカや中国に負けないくらいの」

「なんというか……極端ですね」

鴻ノ池が頰を引きつらせる。

「まあ極端な思想を持ってるやつは、何かの拍子で百八十度考えが変わることも珍しくない。思考に柔軟性がないんだろうな。けど、極右なら今度は公安三課が担当だろ？　なんでお前が調べているんだ」

「実は、『日本の目覚め』は神道をベースに都合のいい解釈で宗教化したカルトの側面もあるんです。メンバーは自分たちのことを『天照大神《あまてらすおおみかみ》の尖兵《せんぺい》』と称しています」

「なるほど、あまりにもオリジナリティに溢れているせいで、極左や極右の専門家から忌避されて、最終的に何でも屋の公安総務課にお鉢が回ってきて、カルトを担当している部署が貧乏くじを引かされたってわけか」

鷹央がつぶやくと、服部は「まあ、そんなところです」と相槌を打つ。

「それで天王寺龍牙は、その団体の構成員だったのか？」

鷹央はいきなり事件の核心に切り込みながら、徳利《とっくり》を持って服部のお猪口に酒を注いだ。

「はい、それは間違いありません」

服部は一口酒を口に含んだあと、静かに続ける。

「というか、天王寺龍牙こそ、『日本の目覚め』の最も重要な人物でした」

「最も重要？　どういうことだ」

鷹央はテーブルに肘をつき、前のめりになる。

「組織内での天王寺龍牙の役割、それは爆弾の製造でした」

僕と鴻ノ池は大きく息を呑んだ。

「爆弾って、連続爆弾テロ事件で使われている爆弾のことですか？」

僕が上ずった声で訊ねると、服部はゆっくりとあごを引く。

「その通りです。すべて天王寺龍牙の『作品』と考えられています」

「天王寺龍牙は大学で有機化学を学び、その後、大学院で電子工学の研究室に所属したあとメーカーに就職し、電子回路などの設計に携わっていた。爆薬と起爆装置、どちらについてもプロフェッショナルだ。爆弾の製造者としては確かに最適だな」

鷹央が言うと、服部は「というより」とつぶやく。

「おそらく爆弾製造の技術を学ぶために、天王寺龍牙は電子工学の大学院に進んだと思われます」

「そうかもな。有機化学と電子工学じゃ、同じ理系であるが全く異なった分野だ。普通に考えたら、おかしな進学先だ。しかし、爆弾を作るという目的があるのなら理にかなっている」

鷹央は鼻の頭を掻く。

「天王寺龍牙が有機溶剤による肝硬変になっていたことも、それである程度説明がつくな。大学卒業後もずっと、自己流で爆薬製造のために有機化学の研究を続けていたんだ。ただ、大学のように充分な設備がないため、有機溶剤に対する防御が不十分で、長期間暴露され、その結果、肝硬変を患ってしまった」

「天王寺さんはいつから、そのテロ組織に所属していたんでしょうね？　普通に生活していたら、そんな組織と関わることってあんまりないと思うんですよ」

サワーをちびちびと飲みながら、鴻ノ池が疑問を口にする。

「大学だろうな」

鷹央が言うと、「我々もそう考えています」と服部が同調した。

「大学？」

鴻ノ池が小首をかしげる。鷹央は徳利をつかむと、お猪口に注ぐこともなく、そのまま自分の口に日本酒を流し込んだ。

「お前たちみたいな、医学系の単科大学を出た奴らには、なかなか想像ができないだろうが、帝都大みたいな総合大学には、活動家やカルトがはびこっているんだよ。普通の和気あいあいとした運動系や文科系サークルのような顔をして新入生を勧誘し、そしてじわじわと洗脳して組織に引き込んでいくんだ」

「その通りです。大学には自治権があるのでなかなか警察も手を出しにくいんですよ」

服部は酒くさいため息をつく。

「つまり、天王寺さんは大学時代に危険なカルト集団に入って、それからずっと爆弾製造の技術を磨いていたということですね。そして、とうとう高性能の爆弾を一人で製造できるようになり、それを使って組織は本格的にテロを起こしはじめた」

僕が状況をまとめると、服部は「そういうことです」と頷いた。

――あの子は本当に優秀で、そのうえ一生懸命に勉強して、帝都大に入学したんです。私は本当に鼻が高かった。

天王寺龍牙の遺体を前にして、父親の正一が語った言葉を思い出し、僕は口を固く結ぶ。

夢を追い、必死に勉強して入学した日本最高学府の帝都大で、まさかテロ組織に引きこまれるなんて……。これを知ったら正一はどう思うのだろう。

胸の奥に疼《うず》きを覚えながら、僕は質問を続ける。

「ということは、公安はかなり前から天王寺さんに目をつけていたんですか？」

「いいえ、そういうわけではありません」

服部は首を横に振る。

「天王寺龍牙が爆弾製造者だと分かったのはごく最近、彼が死亡した後です」

「どういうことですか？」

僕が首をひねると、服部は苦々しい表情を浮かべながら説明をはじめた。

「『日本の目覚め』について我々公安総務課は、最低限の情報は持っていましたが、まさか連続爆弾テロを起こすような能力があるとは考えていませんでした。なので内偵は不十分でした」

「テロを未然に防ぐという意味では、完全に油断していたということだな」

容赦ない鷹央の評価に、服部は「その通りです」と痛みをこらえるような表情を浮かべた。

「ですから、公安総務課の全力を投入して、『日本の目覚め』についての情報を探りました。誰がトップなのか、どこを潰せばそのテロ活動を止めることができるのか」

「けれど、その情報を爆発事件の捜査本部に流すことはしなかったんだねぇ。さすがは公安だ」

桜井が皮肉で飽和した声で言うが、服部は気にするそぶりも見せず話を続ける。

「内偵の結果浮かび上がってきたのは、『日本の目覚め』にはリーダーがいないということでした」

「リーダーがいない？　どういうことだ？」

鷹央がいぶかしげに聞き返す。

「そのままの意味ですよ。『日本の目覚め』は一人のリーダーが率いているわけではないんです。かつての学生運動の仲間で、その後、おかしなカルト思想にはまった何人かが寄合を作り、その中で何となく方針を決めているような形なんです」

「なんかそれって、大学生のゆるいサークル活動って感じですね」

鴻ノ池の感想に、服部はうなだれながら重い溜め息をつく。

「そのとおりです。奴らは学生時代の反権力活動のノリを持ったまま老人になった者たちの集団なんですよ」

「何者にもなれないまま年だけ食ってしまった奴らが、自分たちを『神の尖兵』だと自己催眠をかけることで、その薄っぺらいプライドを保ち、現実から目を背けているってわけか。下らない」

鷹央は吐き捨てるように言う。

「的確な評価です。ただそのゆるい組織運営が、こちらにとってはなかなか厄介なんです。トップ一人を潰せば組織が壊滅できるというわけではありませんから。しかも、腐っても何十年も反社会組織を運営しているだけあって、情報統制に関しては徹底しています。加えて、自分たちが『特別な存在』であるという思想は、自意識の強い若者とも相性がいいらしい。SNSなどを通じてメンバーが増え、組織は急速に大きくなり、そして複雑化していった。これまでにないカルト集団で、我々も従来の捜査のノウハウが使えず、苦労しているんです」

服部は苛立たしげに薄い髪を掻き上げた。

「中心となる人物たちが誰なのか、何人いるのか、そのあたりの手がかりがなかなか出てきません。頭を潰してもすぐに再生するヤマタノオロチと戦っているようなものです」

「しかし、頭がいっぱいということは、進む方向性が定まりにくいってことでもある。『船頭多くして、船山に上る』ってな」

「ええ、その通りです。ですから、『日本の目覚め』が大きな事件など起こさないと、我々は高をくくっていた。ただその状況が大きく変った」

「……天王寺龍牙の爆弾だな」

鷹央が声を潜めると、服部は「はい」とあごを引いた。

「それまで、お遊びレベルの組織でしかなかった『日本の目覚め』に、天王寺龍牙によって強力な武器が供給された」

「高価なオモチャを手に入れたガキは、当然使ってみたくなるよな」

「しかもその『オモチャ』の性能は、想像を絶するものでした」

低い声で言う服部に、僕は「想像を絶する？」と聞き返す。

「はい、一度だけ爆発前に爆弾が見つかったことがあります。その際に出動した処理班の捜査員が言っていましたが、これまで日本では見たことがないレベルで計算し尽くされた爆弾だったということです」

「具体的には？」

鷹央が徳利を手にしたまま、前のめりになる。

「基本的な構造は圧力鍋爆弾と呼ばれるものです。圧力鍋の中に爆薬と、殺傷能力を高めるための釘《くぎ》やパチンコ玉などを入れる。雷管に通電して火薬が爆発すると、爆風とともに中に入っていた釘やパチンコ玉が四方に飛び散り、被害者の体を引き裂いていきます。実際にこれまで犠牲になった人々の遺体は、かなりひどい状態でした。助かっても、顔がグチャグチャになって苦しんでいる人もいます」

「ひどい……」

鴻ノ池が口を片手で覆う。

「二〇一三年にボストンマラソンで起こった爆弾テロで使われたのと同種の爆弾だな。しかしそれだけでは計算され尽くしたとは言えない。他にも特徴があるんだろ？」

「ええ、あります。一度起動すると、ほとんど解除が不可能だということです」

「解除が不可能……」

鷹央はその言葉をくり返す。

「爆弾には時限装置が付いていて、一度それが作動しはじめると、少しでも動かしたら爆発する仕組みになっているということです。さらに、時間がこなくても、遠隔操作で爆破が可能という報告が来ています」

「つまり犯人はその気になれば、いつでも好きなタイミングで爆発させられるということか。確かに厄介だな……。ただ爆弾処理班なら、電波にジャミングをかけて、遠隔操作が不可能な状態で分解して、爆弾を処理することができるんじゃないか？」

鷹央の問いに、服部は「それも難しいということです」と、ゆっくりかぶりを振る。

「内部にはダミーの配線が大量に組み込まれていて、一回でも手順を間違えれば爆発する構造だったそうです。リスクがあまりにも高いと判断され、処理は行われず周囲の人々を避難させるという判断になりました」

「じゃあ時限装置が一度起動したら、爆発を防ぐ方法はないってことか？」

低いが形のいい鼻の付け根に、鷹央はしわを寄せた。

「いいえ、そんなことはありません。解除コードを打ち込むことで爆弾は解除可能です」

「解除コード？」

鷹央は首を傾ける。

「はい。爆弾にはカウントダウンをしている液晶画面の下に、テンキーがついています。それで解除コードを打ち込むことで、時限装置が解除され爆弾を安全に持ち運べる状態になるということです」

「その解除コードを調べることはできないのか？　お前たちの『協力者』はその解除コードを知らないのか？」

「残念ながら、知りません。その解除コードは『日本の目覚め』の内部では、最重要機密事項です。知っているのはごくごく一部のトップと……」

「製造者である天王寺龍牙か……」

鷹央のつぶやきに、服部は「その通りです」と頷いた。

「あのー」

鴻ノ池がおずおずと手を挙げる。

「そもそも、その『日本の目覚め』っていう組織、何が目的で爆弾テロなんかしてるんですか？　何か声明とか、政府に要求とか、そういうの出ているんですか？」

「いいえ、一切出ていません。それが捜査を難しくしている原因の一つです」

　冷めた口調で服部は言う。

「一切出ていませんって、それじゃあなんでテロで人を殺して、たくさんの人を恐怖させているんですか」

「恐怖させ、不安にさせること自体が、奴らの目的だからなんですよ」

　服部はテーブルに置いた拳を固く握り締める。鴻ノ池は「不安にさせること自体が目的？」と眉をひそめた。

「『日本の目覚め』曰《いわ》く、いまの日本は平和ボケをして、堕落しきっている。だからこそその平和をかき乱すことによって、国民に危機感をあたえる。それにより日本人は目覚め、誇りを取り戻し、そして諸外国にも負けない強大な力を再び得る。それこそが、奴らがテロを起こす理由です」

「何ですか、それ！」

　鴻ノ池はテーブルに両手をついて腰を浮かす。

「そんな馬鹿げた理由で爆弾テロを起こしているんですか？　そんなことのために犠牲者が出ているんですか」

　酔いとは違う理由で、鴻ノ池の頬が紅潮していく。僕も同じ気持ちだった。日本人を目覚めさせるなどという曖昧で自分勝手な理想のため、無差別テロを起こして他人の命を奪い、平和に暮らしている人々を恐怖に陥れる。そんなことが許されるわけがない。

「馬鹿げた理由で、いとも簡単に他人の命を奪う。それがカルトのテロ組織というものです。奴らはそれを正義だと思い込み、そして迷うことなく実行する。だからこそ奴らの存在を許してはいけない。奴らをこの社会から排除しなくてはいけないんです。なので、何卒ご協力をお願いいたします」

服部はテーブルに両手をつくと、薄い頭頂部がこちらに向くほど深く頭を下げた。

「……ああ、もちろんだ」

数秒の沈黙のあと、鷹央が強い決意のこもった声で答える。

「そのためにもさらに情報をよこせ。天王寺龍牙が死んですぐ、あいつのアパートが徹底的に片付けられたのは、爆弾の製造者だということを隠すための処置だったんだな。公安の協力者だった二人目の『アイスマン』、秋葉俊平がいたということは、あの便利屋たちはテロ組織のメンバーだよな」

「はい。その便利屋はテロリストたちで、天王寺龍牙についての情報が捜査当局に漏れないようにというのが、あの部屋を片付けた理由の一つでした」

「一つ?」鷹央が眉を顰める「では他にも理由があるってことか?」

「その通りです。奴らが天王寺龍牙の部屋にあったものを全て持ち出した最大の理由。それは、爆弾の在りかを示す手がかりを得るためでした」

「爆弾の在りか？　どういうことだ⁉」

事件の核心に迫っている予感をおぼえたのか、鷹央の声に興奮が混じる。

「天王寺龍牙は極めて慎重な男でした。そして、奴は『日本の目覚め』の思想に深く染まっていた。奴にとってこれまでの爆破事件は、自分が作った『おもちゃ』の性能を測るための実験でしかなかった」

「あれが実験……」

喉の奥からうめくような声が漏れてしまう。その『実験』により複数の命が奪われ、それをはるかに超える負傷者が出ている。いまも多くの人々が恐怖をおぼえて日常を送っている。そんなことが許されるというのだろうか。

奥歯を軋《きし》ませる僕の前で、服部はゆっくりと口を開く。

「これまでの実験で、爆弾の性能を確認できた天王寺龍牙は『おもちゃ』の大量生産に入りました。最大の目的のために」

「最大の目的って……なんなんですか？」

鴻ノ池が震える声で訊ねた。服部は俯《うつむ》くと、地の底から聞こえてくるような低い声で答えた。

「日本の首都である東京での同時多発爆弾テロです」

想像を絶する答えに僕たちは言葉を失う。そんな僕たちの前で、服部は淡々と説明を続けた。

「都内二十三区の数十ヶ所で同時に爆弾を炸裂《さくれつ》させ、多くの犠牲者を出し、世間を震《しん》撼《かん》させる。それにより日本人を目覚めさせ、真の力を取り戻させる。それこそが天王寺龍牙の、いえ、『日本の目覚め』の最大の目的です」

「数十ヶ所……」

僕の口からかすれ声が漏れる。もしそれが実行されたら、どれだけの犠牲者が出るというんだろう。首都で行われる未曾有の爆弾テロ。その衝撃は一九九五年に起きた地下鉄サリン事件に匹敵するだろう。

この国の平和が再びカルト組織により脅かされる。ただ毎日を必死に生きている人々が理不尽に命を奪われる。そんなことあっていいわけがない。

「その計画のための、『おもちゃ』の在りかが分からないというわけだな」

鷹央は低く押し殺した声で言う。

「ええ、そうです。天王寺龍牙は情報が漏れて爆弾を当局に確保されることを病的に恐れていた。だからこそ、爆弾の保管場所についての一切の情報を組織の上層部にも伝えていなかった」

「まあ実際に組織内に公安との内通者がいたんだから、正しい判断だったんだろうな。しかし、幹部にも教えないというのは徹底しているな。よくそれで納得してもらえたものだ」

「それだけ、『日本の目覚め』にとって、天王寺龍牙という存在は重要だったんです。やつがいなければ、単なる妄想癖のある老人たちが起こしたお遊戯会ですからね」

「だが、天王寺龍牙が死亡したことで、その徹底した情報統制が裏目に出た。組織にとって重要な『おもちゃ』の隠し場所が分からなくなった。だから、組織は天王寺龍牙の自宅マンションを探して、爆弾の在りかの手がかりを得ようとした。そういうことだな？」

鷹央が確認すると、服部は「少しだけ違います」と首を横に振った。

「組織が探していたのは、爆弾の在りかというよりは、天王寺龍牙の『おもちゃ工房』です」

「おもちゃ工房？」

鷹央はいぶかしげに聞き返す。

「さっきも言ったように、天王寺龍牙は極めて慎重な男でした。当然、自宅で爆弾を作るようなことはしていません。誰にも場所を教えていない、爆弾製造専用の『工房』をどこかに持っていたということです」

「なるほど、その『工房』に爆弾が隠されている。もしくは爆弾の在りかの手がかりがあるということか。『工房』を探すために、あの『便利屋』たちは差し向けられたんだな」

「その通りです。奴らを差し向けた幹部はかなり焦っていたようですね。そのおかげで、下っ端の秋葉まで天王寺龍牙の家の捜索に駆り出され、奴こそが爆弾の製造者だという情報を得ることができました」

「二人目の『アイスマン』である秋葉俊平は、かなり前から公安の協力者だったのか?」

鷹央の問いに、服部は重々しく頷いた。

「はい、秋葉はもともと都内の私立大学の学生でした。三年前に大学に入学してすぐの頃、『日本の目覚め』が『東京中のラーメンを食べる会』という名の、カルトであることを隠して活動していたサークルに入ってしまい、そこでじわじわと思想洗脳されてテロ組織のメンバーになりました」

「ラーメンを食べる会……」

そんな無害そうな名のサークルが、カルトの入り口になっているのか……。そのあくどい手口に戦慄をおぼえる僕のとなりで、鷹央は先を促すようにあごをしゃくった。

「もともと右翼的な思想を持っていたし、地方から上京してきて友人もほとんどいなかったため、組織にかなり居心地の良さをおぼえていたようで、活動にのめり込んでいきました。けれど、今年になって『おもちゃ』を手に入れた組織が、本格的に動き出した」

「自分が所属している組織が爆弾テロで人を殺すのを目の当たりにして、我に返ったってわけか」

「はい、それで以前『東京中のラーメンを食べる会』に内偵を行ったときに、公安の捜査員であることを隠し、法曹関係に強いつながりがあると仄《ほの》めかして接触していた私に連絡をよこしてきました」

そんな地道な、労多くして実が少ない手段を使って、公安部というのは協力者を探しているのか……。国の安全を守るために暗躍する公安警察の日常を垣間《かいま》見た気がした。

「そういう協力者からの情報があるなら、組織のメンバーを逮捕すればよかったんじゃないですか」

鴻ノ池の疑問に服部は弱々しい笑みを浮かべる。

「さっき言ったように、秋葉は下っ端中の下っ端でした。重要な情報はなにも持っていなかった。彼の証言をもとに関係者を引っ張ってきても、組織の幹部までは決してたどり着けない。それどころか、我々が動いていることを気付かれ、警戒されるだけ。

そういう状況だったんですよ」

「だが、その下っ端が最重要機密事項である天王寺龍牙についての情報を手に入れた。つまり天王寺龍牙の死は、組織にとってもあまりにも予想外の出来事だったということだな」

そこで言葉を切った鷹央は、服部の目をのぞき込む。

「お前たちはどうして天王寺龍牙が死んだのか、何か情報を持っているのか?」

「残念ながらそれについては、私たちも全くわかりません。いったい何が起きているのか、想像だにできないというのが正直なところです」

服部が弱々しく首を振ると、黙って話を聞いていた桜井が口を挟んでくる。

「秋葉俊平があの工事現場で凍死させられたのは間違いないだろうね。そして状況から見れば、それをやったのは彼の裏切りに気づいた『日本の目覚め』の仲間たちだろう」

「あぁ……」

服部は硬い声で答える。それも当然だろう。おそらくは、自分と通じていたことを知られたために、秋葉俊平は粛清されたのだから。

天王寺龍牙こそが爆弾の製造者である。その重大な情報を、秋葉俊平はできるだけ早く服部に伝えようとした。しかし、その焦りが何らかのミスを生み、公安のスパイであることに気付かれてしまい、見せしめとして殺害された。そういうことなんだろう。

状況を整理している僕の向かいに座る桜井は、鳥の巣のような頭を掻く。

「ということは天王寺龍牙も、『日本の目覚め』の内部で粛清されたと考えるのが妥当なんじゃないかな。風の強い場所で全身にアルコールをかけて凍死させるという異常な殺害方法も、カルト化した集団の一種の儀式だと思えば納得いくよ」

桜井の意見を聞いて、服部は腕を組んだ。

「しかし、天王寺龍牙の存在を知っていたのは、組織の上層部のごくごく一部だけのはずだ。それに、あの男は組織にとって最も重要な人物だった。それを粛清して、しかも爆弾の在りかすら不明にするとは思えないんだが……」

「お前がさっき言っていただろ。『日本の目覚め』という組織には決まったリーダーがいるわけじゃないと」

桜井は舌を潤すかのように、お猪口に入った酒を一口舐めた。

「もしかしたら上層部の中でも、爆弾テロの是非について意見が分かれていたんじゃないのか？　そして無差別テロを止めるべきだと思った上層部の一人が天王寺龍牙を殺害し、爆弾の供給を止めるという強硬手段に出た」

そのあたりが真相なのかもしれない。目の前で議論する刑事たちを眺めながら、僕は胸の中でつぶやく。

カルト集団の中でも、無差別殺人に対して強い忌避をおぼえる者がいた。その人物が自らの手を汚してまで爆弾テロを止めようとした。

……本当にそうなのだろうか？　やはり、アルコールの気化熱でゆっくり凍死させるという、異様な殺害方法が気になってしまう。

果たしてそれは、カルトの儀式なのだろうか？　そうしなくてはならない理由が何かあったのではないだろうか？

頭を必死に働かせながら、僕は横目で鷹央の様子をうかがう。彼女は徳利に直接口をつけて日本酒を飲みながら、難しい顔で黙り込んでいた。

その小さな頭に収められた超高性能の脳はいま、服部から得た情報を高速で処理しているのだろう。

誰もが考え込み、個室内に重い沈黙が降りる。次の瞬間、シックなジャズミュージックが沈黙を破った。

「ああ失礼、成瀬君からの電話です。今日の捜査会議でめぼしい情報があったら、連絡して教えてくれるようにお願いしていたんですよ」

「桜井、お前な、捜査会議ぐらいちゃんと出ろよ。相変わらず常識がない奴だな」

服部に正論で諭された桜井は、「まさか公安に、常識を説かれるとはね」と、おどけた口調で言うと、畳の上に置いたコートのポケットからスマートフォンを取り出し、顔の横に当てる。

「ああ成瀬君、お疲れ様。実はね、いまちょっといいお店で鷹央先生たちと飲んでいるんだよ。偶然、昔の旧友にも会って、そいつも一緒にね」

さすがの桜井でも、「公安部の刑事と一緒に飲んでいる」とは言わないか。成瀬が聞いたらパニックになりそうだしな。僕がそんなことを考えていると、桜井は「えぇ⁉」と大きな声を出して、酔いでわずかに充血している目を見開いた。

「天王寺龍牙の事件は殺人じゃなかった⁉」

桜井が裏返った声で言った瞬間、鷹央が身を乗り出し、テーブルの上に片膝をついて桜井の手からスマートフォンを奪い取る。

「どういうことだ、成瀬！　詳しく説明しろ！」

スマートフォンをスピーカーモードにしてテーブルに置いた鷹央は鋭く言った。

『ああ、天久先生ですか。どうもこうもありません。言った通りですよ。天王寺龍牙は殺されたんじゃありません。今日の捜査会議でその情報が共有されたんです』

スマートフォンから成瀬の気怠《けだる》そうな声が聞こえてくる。

「なんで殺害されたんじゃないとわかるんだ⁉　どんな証拠が出てきたんだ？」

『死亡する前、天王寺が自分で酒を買って飲んでいる映像が見つかったんです』

「自分で酒を……」

鷹央は口を半開きにして呆然とつぶやく。

『ええ、そうです。発見されて救急搬送される一時間ぐらい前、久留米池公園から五百メートルほど離れたコンビニの防犯カメラに、Tシャツとジーンズにサマージャケットを羽織った天王寺が、大量のウイスキーを買う映像が残っていました。直後に店外でそのウイスキーをラッパ飲みする映像も確認されています』

「ウイスキーをラッパ飲みって、普通はしませんよね……。やっぱり天王寺さんの肝硬変って、有機溶剤だけが原因じゃなくて、アルコール性肝硬変の要素もあったんじゃないですか？」

鴻ノ池が話しかけるが、鷹央はその声が耳に入らないかのように、ぶつぶつと独り言をつぶやき続ける。彼女の脳内でシナプスが一斉に発火し、情報が急速に処理されているのがはた目にも見て取れた。

「服部！」

鷹央が叫ぶように言う。

「爆薬はどんな種類だったかわかるか？」

「え……、爆薬の種類ですか？」

唐突に話を振られた服部は戸惑い顔になる。

「そうだ。公安ならそれくらい調べてあるだろ。爆弾の性質からテロリストを追及して行くのはお前たちの十八番のはずだ」

鷹央は早口でまくしたてる。スマートフォンから成瀬の『……爆弾？　……公安？』という戸惑い声が聞こえてきた。

「えっとですね、確かに調べてありますが、何しろ専門的な内容なもので……。何でしたっけ、すり、すろ……」

「スラリー爆薬！」

鷹央の甲高い声が個室の空気を揺らした。

「ああ、それですそれです。確かそんな名前でした。けれど、何でご存知なんですか？」

服部が首をひねるが、鷹央は答えることなく、「分かったぞ！」と拳を握りしめる。

「え？　分かったって何がですか？」

服部が目をしばたたくと、鷹央は両手を大きく広げた。

「全部だ！　すべてが分かった。なぜ天王寺龍牙が死んだのか、やつの『工房』がどこにあるのか。すべてが繋がったんだ」

「はぁ!?　本当ですか!?」

服部が目を剝く。

「それなら早く教えてください。あいつの『工房』はどこなんです？　どこに爆弾が隠されているんですか！」

「まあ落ち着けよ。それを知っているのは私じゃないんだ」

鷹央は思わせぶりな笑みを浮かべる。

「先生じゃないって、どういう意味ですか⁉　では誰が知っていると言うんですか？」

興奮を抑えきれなくなった服部が立ち上がるのを見て、鷹央は指をさした。テーブルの上に置かれたスマートフォンを。

「成瀬だ。成瀬こそ、天王寺龍牙の『工房』の場所を知っているんだ」

『……は？　俺？』

まったく状況が把握できていない成瀬の戸惑いの声が、スマートフォンから聞こえてくる。

「どういうことですか？　成瀬君がどうして『工房』の場所を知っているんですか？」

わけがわからないといった様子で、桜井が頭に手を当てる。

「いまにわかるさ」

鷹央は唇の端を上げると、スマートフォンに向かって話しかける。

「さて成瀬、お前に一つ聞きたいことがある。すごく重要なことだ。しっかりと思い出してくれ」

鷹央はそう前置きすると、一度言葉を切ったあと、ゆっくりと口を開いた。

6

「スラリー爆薬は硝酸塩と水分が混合された爆薬だ。スラリーというのは『ドロドロしたもの』とかいう意味だな。かなり爆発力が強く、しかも安価ででき、さらに耐久性、耐水性が強いことが特徴だ」

顔の横で左手の人差し指を立てて歩きながら、鷹央は楽しげに説明する。

成瀬からの連絡を受けたあと、僕たちはすぐに店を出て、夜道を歩いていた。まだ料理をすべて出していない店側は不満げだったが、同時多発爆弾テロを防ぐためなら仕方ないだろう。

「いまって、さっき成瀬君が言っていた場所に向かっているんですか？」

桜井の質問に鷹央は「そうだ」と明快に答える。十数分前、鷹央が口にした質問に成瀬はとある場所の住所を答えていた。

「なんでそこに、天王寺の『工房』があると思うんですか？　意味が分かりません」

鷹央の後ろを歩いている服部が早口で訊ねる。テロに使われる爆弾の手がかりを得た鷹央が、それについて全く説明をしないことに対する苛立ちが、その態度には滲んでいた。

「まあ落ち着けよ。着くまでに全部説明してやるからさ」

上機嫌の鷹央は歌うように言う。

「まず今回の二つの『アイスマン事件』で重要なのは、後に見つかった秋葉俊平は明らかに殺害されたのに対し、先に遺体が見つかった天王寺龍牙はそうではなかったということだ。しかし二つの事件は熱帯夜に人が凍死するという全く同じ要素を持っていた。これはどういうことだと思う？」

「どういうことって……」

服部は言葉に詰まる。

「もしかして第二の殺人は、第一の事件にわざと似せた、つまり模倣した事件ってことですか？」

僕が言うと、鷹央は「ザッツライト」と指を鳴らした。

「秋葉俊平が公安の内通者だと気づいた『日本の目覚め』のメンバーたちは、奴を粛清することに決めた。その際にただ殺すだけではなく、第一の事件と同じように熱帯夜に凍死させることで〝利用〟することにしたんだ」

「利用ってどういうことですか？　第一の事件に似せて、何の得があるっていうんですか？」

桜井が訊ねると、鷹央は「何を言っているんだ」と両掌を上に向けた。

「お前らはまさに、『日本の目覚め』のやつらの思惑通りに動いていたじゃないか」

「思惑どおり……」

口元に手を当ててつぶやいた桜井は、はっとした表情を浮かべる。

「天王寺龍牙の殺害現場を、あの工事現場だと思った！」

「正解だ」

鷹央は口角を上げる。

「第一の事件をできる限り模倣した結果、警察は秋葉俊平があの工事現場で殺害されたと分かったとき、天王寺龍牙も同じ場所、同じ方法で殺された可能性が高いと〝誤認〟した」

「もしかして、第二の事件をあの工事現場で起こしたのって、天王寺さんがあそこで働いていたからですか」

鴻ノ池が声を上げると鷹央は「だろうな」と頷いた。

「第一の事件の被害者である天王寺龍牙が働いていた現場で、第二の事件が起こった。当然、その現場こそが最も重要な場所だと思い込ませることができる。そして本当に重要な場所から、目をそらすことができるんだ」

「本当に重要な場所……、天王寺龍牙の『工房』……」

服部が低くこもった声でつぶやく。鷹央は「そうだ」とあごを引いた。

「天王寺龍牙の身元が判明した翌日、私たちは成瀬を引き連れてあの男のマンションへ向かった。そして、そこにいた『日本の目覚め』のメンバーたちと接触した」

鷹央の説明を聞く僕の頭に、二週間ほど前の出来事がよみがえる。

「あのとき私たちは、天王寺龍牙について詳しく調べていると言った。それを聞いた『日本の目覚め』のメンバーたちは、こう思ったはずだ。警察が天王寺龍牙の死を調べ、その身辺を漁《あさ》っていると。このままでは自分たちより先に『工房』、そして天王寺龍牙が隠した大量の爆弾を警察に見つけられ、計画が破綻してしまうかもしれないと」

「……だから裏切り者である秋葉を始末するとき、第一の事件を模倣して、捜査を混乱させようとした。そして私たちはまんまとその罠《わな》にはまってしまった」

桜井が硬い表情でつぶやく。

「工事現場にこれ見よがしに遺留品が残されていたのも、そのためだ。『日本の目覚め』にとっては、警察があの現場に注目してくれればくれるほど、『工房』が見つかる可能性が低くなるんだからな」

「天久先生、あなたはさっき、『工房』の場所が分かったと言いましたね。……いま向かっているのが、その『工房』なんですか」

服部の口調が緊張と期待を孕みはじめる。

「ああ、そうだぞ」

鷹央があっさりと答えると同時に、服部は両手を固く握りしめた。

「どうして『工房』の場所がわかったんですか⁉」

もし実行されれば、東京に、いやこの日本に住むすべての人々を恐怖のどん底に落とすであろう凶悪テロ。それを止めるために自分たち公安部が全力を尽くしても見つからなかった最大の手がかりに近づいていることに、服部の声が大きくなる。

「興奮するなよ。この事件の裏に潜んでいる真相をあばくためには、順番が大切なんだ」

「順番？」

もったいをつけるような鷹央のセリフに、服部の眉間にしわが寄った。

「そうだ。事件の全容が見えれば、自然と『工房』がどこにあるのかも分かってくる。そのためには、最大の謎を解く必要があるんだ」

「最大の謎……。天王寺さんが『アイスマン』になった理由……」

鴻ノ池が口元に手を当ててつぶやくと、鷹央は「そのとおりだ！」と指を鳴らす。

「第二の事件は、捜査を混乱させるために、『日本の目覚め』のメンバーが第一の事件の状況に似せて、裏切り者の秋葉を殺したものだ。つまり天王寺龍牙は、拘束された状態でアルコールによる気化熱で凍死させられたのではないということになる。それは命を落とす数十分前に、コンビニでウイスキーを買って飲む映像が、防犯カメラに記録されていたことからも明らかだ。そうなると、私たちの前に最大の謎が再び立ち塞がる」

鷹央は自らの鼻の前で、左手の人差し指を立てる。

「どうして天王寺龍牙は、うだるような熱帯夜に、凍死した状態で発見されたのか」

「天久先生には、それが分かるっていうんですか⁉」

服部が早口で訊ねると、鷹央は「もちろんだ」と得意げに胸を張った。

「天王寺龍牙は爆弾の製造者であり、それを作っている『工房』が絶対に見つからないよう、偏執的なほどに警戒をしていた。お前が教えてくれたその情報が、ずっと深い闇に包まれていたこの事件の『謎』に光を当て、真相を知ることができたんだ」

「真相っていうのは何なんですか⁉　『工房』はどこにあるんですか⁉　お願いですから早く教えてください！　国家の安全がかかっているんです」

我慢の限界が近いのか、服部の声はもはや悲鳴じみてさえいた。

「わかったわかった。すぐに説明してやるから、でかい声を出すな」

鷹央は両手で耳を押さえると話しはじめた。

「この謎を解くために重要なのは、天王寺龍牙が有機化学の知識を生かして、爆薬を調合し、爆弾を作っていたということだ。まあ既製の爆薬は手に入れるのが困難だし、足もつきやすいから、当然といえば当然だな」

「爆薬って、さっき言っていたスラリー爆薬ってやつですか」

僕が記憶を探りながら言うと、鷹央は「そうだ」と頷いた。

「スラリー爆薬は、主に硝酸アンモニウムに何らかの溶剤を加えることによって生成される。その溶剤の種類にはさまざまなものがある。ここで注目すべきは、久留米池公園で発見される一時間ぐらい前に、天王寺龍牙が大量のウイスキーをコンビニで買い、ラッパ飲みしていることだ。なんであんなことしたんだと思う？」

「なんでって、そりゃ酒が飲みたかったからじゃないですか……？　あの男がアル中だったとか……」

質問の意味が分からないといった様子で、服部は首をひねった。

「アルコール依存症患者は、基本的にそんな行動はとらない。ある程度の酒は家にストックしておくのが普通だ」

鷹央の答えに服部は首をひねる。

「買い忘れて、ストックが尽きることだってあるんじゃないですか？　そして、禁断症状が出て慌てて近くのコンビニへ行ってその場で酒をくらった」

「彼らは一気にラッパ飲みなんてしない。時間をかけてゆっくりと飲む。それがアルコール依存症患者の基本的な飲酒パターンだ。禁断症状を抑えるために最初にある程度の量をまとめて摂取したとしても、その後は長時間かけて酒を消費していくはずだ。ウイスキーを何瓶も買って、店の外で全部飲み干すなんてあまりにも異常だ」

「お酒を飲みたいから飲んだんじゃなく、何か飲まなくちゃいけない理由があったってことですか?」

鴻ノ池が声を上げる。

「そう、そのとき天王寺龍牙には酒を、いやアルコールを大量に摂取しなくてはならない理由があったんだ」

「アルコールを大量に摂取しなければいけない理由……。それっていったい何なんですか? ちょっと思いつかないんですが」

桜井の顔に戸惑いが浮かぶ。

「ここで注目すべきは、スラリー爆薬を作る際に使われる溶剤だ。様々な化学物質が候補になるが、その一つにエチレングリコールがある」

「えちれん……ぐりこーる……?」

桜井はたどたどしく、その言葉をくり返す。

「エチレングリコールは、二価アルコールの一種だ。ペットボトルなどに使われるポリエステルの原料でもあり、また融点が低いことから自動車の不凍液としても使用されている。つまり比較的容易に手に入れられる有機溶媒ということだな」

鷹央は人差し指を立てた左手を、顔の横において説明をはじめる。

「エチレングリコールは甘味があるが、体内に入ると代謝されてシュウ酸を生じ、毒性を発揮する。代謝性アシドーシスや低カルシウム血症、腎不全などを引き起こし、ある程度の量が体内に入れば、命を落とすことも少なくない」

「そのエチレングリコールってやつと、天王寺龍牙がウイスキーをラッパ飲みしたことに、何か関係があるんですか？」

桜井の問いに鷹央は口角を上げる。

「エチレングリコールの解毒剤は、エチルアルコール。つまりは、私たちが日常的に飲んでいる酒なんだよ」

「酒が解毒剤？」

桜井はまばたきをくり返した。

「エチレングリコールとエチルアルコールは、同じ酵素によって代謝される。つまり、大量の酒を飲むことでその代謝酵素をエチルアルコールの代謝に利用させ、エチレングリコールが毒物に代謝することを防ぎ、そのまま排泄《はいせつ》されるようにするんだ」

「つまり、こういうことですか？」

鷹央の説明を必死に頭の中で整理しようとしているのか、服部は両手を額に当てる。

「天王寺龍牙は爆薬の原料である、そのエチレングリコールという物質を飲んでしまった。だからこそ、すぐに解毒剤として大量のウイスキーを飲む必要があった」

「そうだ。それこそが、『アイスマン事件』の真相に迫る、最大の手掛かりだ」

鷹央が興奮気味に言うと、桜井が眉根を寄せた。

「そのエチレングリコールを飲んだから、天王寺龍牙は熱帯夜に凍死したってことですか？」

「違う違う」

鷹央は首を横に振る。

「天王寺龍牙を凍死させたのは、爆薬を作るためのもう一つの重要な物質。硝酸アンモニウムだ」

「硝酸アンモニウム……」

連続して出てくる専門的な化学物質に混乱したのか、桜井は鳥の巣のような頭を掻いた。

「それは一体どういうものなんですか？」

「硝酸アンモニウムは、アンモニウムと硝酸塩のイオンからできている白い結晶だ。硝安とも呼ばれているな。農業用の肥料として大量に作られているものだ。エチレングリコールと同様に比較的手に入れやすい物質というわけだ。そして、肥料以外にももっと身近に、硝酸アンモニウムは使用されている。きっとお前たちも使ったことがあるぞ。なんだと思う？」

鷹央はいたずらっぽく微笑む。

「もったいつけてないで、早く教えてください！　その物質はいったい何に使われているんですか⁉」

我慢の限界に来たのか、服部が声を荒らげた。

「張り合い無いやつだなぁ。少しは自分で考えろよな」

鷹央はそこで一拍おいてから楽しげに答えた。

「瞬間冷却パックだ」

「瞬間冷却パック……？　それって、たしかあれですよね。叩いたら一瞬で冷たくなるやつ」

医学生時代、空手部の練習で打撲を負ったときの冷却に、よく使っていた商品を僕は思い出す。

「そうだ。あれは、中に袋に詰められた硝酸アンモニウムと水が入っている。叩くなどして衝撃を与えると、二つの物質が混ざって一気に冷却されるんだ」

「水と混ざるだけで、あんなに冷たくなるんですか？」

鴻ノ池が疑問を口にすると、鷹央は首を縦に振った。

「硝酸アンモニウムは極めて吸水性の高い物質だ。水と接触させると急激に化学反応を起こす。その際、周囲の熱を急速に奪う『吸熱反応』が生じるんだ」

「吸熱反応……」

服部の半開きの口から、その言葉が漏れる。

「それじゃあ天王寺龍牙はそのせいで……」

「そうだ。あの男はエチレングリコールだけでなく、大量の硝酸アンモニウムを飲み込んだんだ。体内に入った硝酸アンモニウムは、胃液などの体液と急速に反応して吸熱反応を生じ、天王寺龍牙の体から一気に熱を奪っていった。そして天王寺龍牙は内臓から凍り付いていき、久留米池公園で力尽き凍死したんだ」

鷹央は説明終わりとでもいうように、人差し指を立てた左手を指揮者のように勢いよく振ると、思い出したように付け足す。

「まあ実際は、天王寺龍牙が凍死だったかどうかは分からないな。エチレングリコールによる中毒死だったかもしれないし、硝酸アンモニウムにも毒性はある。吸熱反応による体温低下と、摂取した物質の毒性、それらが複合的に影響して命を落としたんだろう」

「……司法解剖したら、わかっていたはずですよね」

僕は拳を握りしめる。

「ああ、そうだろうな。最初の時点で司法解剖していれば、天王寺龍牙がエチレングリコールと硝酸アンモニウムを飲んでいたことはわかったはずだ。当然、爆薬を作っていたことが疑われ、より早く爆発事件についての捜査が進んでいただろうな」

あのとき、僕がもっと必死に刑事に食い下がっていたら……。強い後悔が胸を焼く。

「勉強になっただろ。診断医にとって、何が何でも診断を下すという強い意志が、どれだけ大切か」

僕が大きく頷いたとき、服部が「待ってくださいよ！」と声を張り上げる。

「全て解決したような雰囲気になっていますけど、まだまだわからないことがいっぱい残っているじゃないですか。どうして天王寺龍牙はそんな危険な物質を、二種類も飲んだりしたんですか。どうしてあいつは助けも呼ばず、久留米池公園で倒れていたんですか」

服部が早口で質問すると、鷹央はこれ見よがしに息を吐いた。

「お前なあ、それでも刑事か？　少しは自分でも考えようとしろよ。おまえが教えてくれたんだろ。『日本の目覚め』に帰依していた天王寺龍牙にとって、何より優先すべきは、『工房』を当局から隠すことだったたって」

「天王寺さんが死んだ夜、『工房』で何かあったたってことですか？」

鴻ノ池が質問すると、鷹央は「だろうな」と唇の端を上げた。

「あの夜、『工房』で爆薬を作っていた天王寺龍牙に、何らかのトラブルが起きた。そして、その場所が『工房』であること、そこで爆薬を作っていることを隠さないといけないと考えた天王寺龍牙は、『証拠』の隠滅をはかった」

「証拠……、爆薬の材料ですね」

桜井が確認する。

「そうだ。材料さえ隠せば爆薬を作っていることをごまかせる。そう考えてとっさに飲み込んでしまったんだろう」

「そのトラブルっていうのは何ですか？　どうして天王寺龍牙は、致死量の毒物を飲んでしまうほどの恐慌状態に陥ったんですか」

事件の核心に迫っていることを感じ取ったのか、服部は首を突き出すように前のめりになる。

「だからさっきから言ってるだろ。天王寺龍牙にとっての最優先事項は、『工房』を『当局』から隠すことだったって」

「『当局』ってもしかして……」

唖然《あぜん》とした表情を浮かべる服部を尻目に、鷹央は軽い口調で答えた。

「そう、お前たち警察だよ」

「そんなわけありません！」

服部が声を裏返す。

「天王寺龍牙の『工房』にガサ入れなんてしていれば、絶対にその情報は公安部に上がってきます。けどそんな話まったく聞いていない」

「そりゃそうだ。勘違いだったんだからな」

鷹央はおどけるように肩をすくめた。

「勘違い？」

服部は眉をひそめる。

「そうだ。本当に『工房』に家宅捜索が入っていたなら、天王寺龍牙がその後、久留米池公園の森の中まで移動しそこで絶命しているわけがない。天王寺龍牙は勘違いしたんだよ。警察が『工房』を捜索にやってきたってな」

鷹央は意気揚々と歩みながら、説明を続けていく。

「自分の間違いに気づいた天王寺龍牙は愕然《がくぜん》とし、絶望する」

「そのままだと、自分が死んでしまうからですね」

僕が確認すると、鷹央はかぶりを振った。

「それもあるだろうが、それよりも自分が『工房』で変死したら、遺体が発見されたときに警察に調べられ、そこで爆弾が製造されていたことに気づかれる。その結果、自分が『日本の目覚め』のメンバーだと判明し、そして芋づる式に組織まで捜査の手が伸びる。そのことを恐れたんじゃないかな」

「自分の命よりも、テロ組織のことを心配したっていうんですか？」

　思わず声に疑念が滲んでしまう。

「服部がさっき言ってただろ。『日本の目覚め』にはカルト宗教的な側面があると。そういう組織なら、盲信的に教義を信奉し、自らの命すら投げ出すことも厭《いと》わぬ者がいてもおかしくない。一種の殉教者ってわけだな」

「無差別テロを起こすことで世間の危機感を煽《あお》って、日本人の誇りを目覚めさせる……。そんな身勝手で非道な計画に、命すら捨てる人がいるなんて……。どうしたら、そんな馬鹿げた思想に染まってしまうんですか」

　僕は唇を固く噛んだ。

「さあな。よほど思い込みが強いのか、またはそのような思想に親和性が高かったのか……。何しろ天王寺龍牙にとっては、自分の命よりも組織の宿願を果たすことの方が重要だった。だからこそ救急要請をすることなく、近くのコンビニに向かい、そこで買ったウイスキーを飲んで解毒を試みるという行動に出たんだ」

「でも、天王寺さんが倒れていたのは、コンビニの前じゃなく久留米池公園の森ですよ」

　鴻ノ池が声を上げる。

「おそらくはウイスキーを飲んだあと、天王寺龍牙は気づいたんだ。たとえエチレングリコールの解毒が出来ても、大量に摂取した硝酸アンモニウム吸熱反応によって、自分が体内から凍り付いていくことを。もうすぐ自分が命を落とすことを」

「だから森に向かって走った……。少しでも『工房』から離れて、そこに警察の捜索が入る可能性を減らすために」

僕が低い声でつぶやくと、鷹央はゆっくり頷いた。

「そうだ。それこそが『アイスマン事件』の真相だ」

あまりにも衝撃的なその内容に言葉を失った僕たちは、無言で歩き続ける。アスファルトを叩く靴音だけが、やけに大きく鼓膜を揺らした。生温《なまぬる》い夜風が首筋を吹き抜けていく。

やがて、桜井が沈黙を破ることを恐れているかのように、おずおずと口を開いた。

「鷹央先生、いま私たちは、その『工房』へ向かっているということでよろしいんですか？」

「ああ、そうだ」

鷹央は正面を見たまま答える。

「そこに『工房』があるんですね。でも、どうしてそう思うんですか？」

「成瀬こそが、この一連の事件の発端だからさ。自分では気づいてないだろうがな」

「成瀬君が……」

意味がわからないというように桜井は鼻の付け根にしわを寄せる。

「天王寺龍牙がうちの病院に搬送され命を落としたとき、成瀬ではなく他の刑事がやってきた。そのボケ刑事は、熱帯夜に見つかった凍死体という異常な状況にもかかわらず、『事件性はない』と断定し、司法解剖を行わなかった。そのせいで、天王寺龍牙が爆弾の材料を飲み込んでいるという貴重な情報を得る機会を失ってしまった」

「つまり成瀬君が検視を行わなかったことが、この事件の原因だとおっしゃるわけですか？」

桜井の口調に戸惑いが混ざる。

「いや違う。天王寺龍牙の死に、成瀬はもっと直接かかわっているんだ」

ここで言葉を切った鷹央は、「お前に分かるか？」とでもいうように、横目で僕に挑発的な視線を送ってくる。

成瀬が天王寺龍牙の死に直接……。僕は頭の中で必死に思考を走らせる。

あの夜、成瀬が検視に来なかったせいで、司法解剖を行うことができなかった。では何で成瀬は来なかったのか。

——大捕り物があったんですよ。アパートで大麻を栽培していた奴らを摘発したんです。

成瀬の言葉が耳によみがえり、僕は大きく息を吞んだ。

「大麻グループの摘発！」

「正解だ！」

鷹央はへたくそなウィンクをしながら、楽しげに言う。

「天王寺龍牙が久留米池公園で発見された夜、成瀬を含む田無署刑事課の刑事たちは、大麻事件の容疑者たちの本拠地を一斉摘発した。そのせいで、いつものようにうちの病院に来る余裕がなかった」

「もしかして、天王寺さんが勘違いした、『工房』の家宅捜索って……」

鴻ノ池が驚きの声を上げる。

「ああ、成瀬たちの大麻グループの摘発を、自分への家宅捜索と勘違いしたんだろう。話によるとかなり大規模な摘発だったらしいな。大量の刑事たちが外で、『令状があるから扉を開けろ』と騒いだ。そりゃ自分が爆弾を作っているのがバレたと思ってパニックにもなるよな」

鷹央は皮肉っぽい笑みを浮かべた。

「ということは、さっき成瀬君に聞いたあの場所が……」

桜井は呆然として言葉を失う。

三十分ほど前、小料理屋でスマートフォン越しに鷹央は成瀬に訊ねていた。「天王寺龍牙が死んだ夜、お前たちが大麻取締法違反で摘発したグループの本拠地はどこだったんだ？」と。

「そうだ。そこに天王寺龍牙の『工房』があった可能性が高い。ああ、ちょうど見えてきたな。あれだ」

鷹央は五十メートルほど先に見えてきた、古びた二階建てのアパートを指さすと、小走りに進んでいった。

僕たちはその後についていて行く。アパートの前までたどり着いた鷹央は迷うことなく、その裏手まで回り込んで行った。

「グループが大麻を栽培していたのは、一階にある手前の三室らしい。自分のところに家宅捜索に来たと誤解したとするなら『工房』は、そのそばにある可能性が高い」

アパートの裏側にある、ブロック塀と建物の間の細い通路を、鷹央は進んでいく。

四つ目の部屋の窓が開いていた。

開いた窓に近づいて中を覗き込んだ鷹央は、「ビンゴ！」と胸の前で手を合わせる。

僕たちは競い合うように、鷹央に続いて窓から室内を見る。そこには実験室のような空間が広がっていた。

ビーカーや三角フラスコ、アルコールランプに半田《はんだ》ごて、そしてガスバーナーなどが、部屋の中心にあるダイニングテーブルに乱雑に置かれている。

「ここが、テロ組織の『おもちゃ』が作られていた『工房』だ！」

　鷹央は胸を張ると、高らかに宣言した。

「おいこら、ちょっと待て。どこ触っているんだ。どさくさにまぎれて変なことするんじゃない」

「人聞きの悪いことを言わないでください。鷹央先生が自分でのぼれないから、支えてるだけでしょ」

　僕は文句を言いながら部屋の中から手を伸ばし、なんとか窓枠をよじ登って室内に入ろうとする鷹央の両脇を支えていた。

「鷹央先生って、おしり小さいですね。でも柔らかくて形も良くて、すごくいい感じです」

　外から鷹央のキュロットスカートに包まれた臀部《でんぶ》を押し上げている鴻ノ池が、ぐふふと下卑た忍び笑いを漏らす。

「舞も変なこと言うな。なんで部下たちに、よってたかってセクハラされなくちゃいけないんだ」

　鷹央は悲鳴じみた声を上げながら、体をよじる。

「危ないから暴れないでくださいよ。それに、僕は断じてセクハラなんてしていません。純度百パーセントのセクハラをしている鴻ノ池と一緒にしないでください」

そんなくだらない会話を交わしながら、ようやく僕たちは鷹央を部屋へと引き上げる。天王寺龍牙が『工房』として使っていた部屋へと。

「うわあ、本当に研究室みたいですね」

鷹央に続いて、窓枠に手をかけてひらりと部屋へと飛び込んできた鴻ノ池が、感嘆の声を上げる。

すでに先に部屋に上がった服部と桜井が電灯をつけ、目を皿のようにして部屋の隅々を探索していた。

六畳程度の和室のワンルーム。ガスコンロが一口だけついているこぢんまりしたキッチンのシンクには、カップラーメンの容器や空のペットボトルが山のように積まれており、そばの床には寝袋が置かれている。

しかし生活感があるのは、その一角だけだった。窓の近くにある金属製の棚には、様々な電子回路や機械部品、実験器具などが置かれている。

そこから必要な器具を取り、部屋の中心にある大きなテーブルで実験や工作を行っていたのだろう。

「爆弾の製造に必要な器具が揃《そろ》っている。ここが天王寺龍牙の『おもちゃ工房』であることは間違いないな。爆薬を詰め、爆弾にするための『容器』もあるし」

鷹央はキッチンのコンロに置かれた圧力鍋を指さす。

「ただ、天王寺龍牙はよほど慎重な性格だったようだな。部屋に置かれたものを一見しただけで、ここが爆弾製造用の工房と断定する証拠を得るのは難しい。電子回路や半田ごてはさまざまな機械の作製に使えるものだし、化学実験用の器具があっても、それを使用するための薬品は見当たらない。たんなる趣味の工作現場だと、言い逃れすることは可能だろう」

さまざまな器具が置かれたテーブルのそばで鷹央はつぶやくと、唐突にしゃがみこんだ。

「だからこそ、これに入っていたものさえ隠せば、何とかなると思ったんだ」

テーブルの下を覗き込んだ鷹央が楽しげに言うのを聞いて、僕もしゃがみ込む。見ると、そこには二つの金属製の容器が転がっていた。

「この容器に入っていたのが……」

「そう。硝酸アンモニウムとエチレングリコールだろうな」

「すぐに鑑識を呼びます。しっかり調べれば、ここが天王寺龍牙の部屋だったこと。そして、その容器の中身が爆弾の原材料だったことはわかるはずです」

服部が興奮が抑えきれない様子でまくしたてる。

「そうしてくれ。あと問題は、同時多発爆弾テロ用に天王寺龍牙が作っていたという大量の爆弾だな。それを確保しない限り、テロのリスクが完全に消えたわけではない。爆弾はこの部屋にありそうか？」

鷹央の問いに、桜井が硬い表情で首を横に振った。

「軽く探しましたが、それらしいものはないですね。そもそも、何十個もの爆薬の詰まった圧力鍋を隠せるほどの収納が、この部屋にあると思えません」

「大丈夫です！」

服部が覇気のこもった声で言う。

「この『工房』にきっと、爆弾の保管場所の手がかりがある。だからこそ、『日本の目覚め』のメンバーたちは、必死にこの『工房』を探していたんだ。奴らに先んじてここを確保することができた。これでテロは止められるはずだ」

鷹央は服部に近づくと、その背中を平手でバンバンと叩いた。

「それもこれも、すべて私のおかげだな。この恩は忘れるんじゃないぞ。いつか貸しは返してもらうからな」

「き、肝に銘じておきます……」

服部が引きつった表情を浮かべると、鷹央は満足気にあごを引いた。

「これで『アイスマン事件』も『爆弾テロ事件』も、一件落着といったところかな。お前たち公安部も、二週間以上、変質者と疑われるリスクを冒しながらも、私たちをストーキングした甲斐があったってわけだな」

おどけるように鷹央が言うと、服部は眉をひそめた。

「……二週間以上？　どういう意味ですか？」

「どういう意味って、天王寺龍牙の遺体が見つかったあとからずっと、お前たちは私たちを監視していただろ」

「いいえ、そんなことはしていませんよ」

服部はきっぱりと言う。

「私たち公安部が、統括診断部の皆さんとの接触を試みはじめたのは、秋葉俊平が凍死体で見つかってからです。それまでは、天王寺龍牙がテロ事件と関係あるとは、我々は考えておりませんでした」

「えっ……？　じゃあ私を最初にストーキングしていたのは誰なんですか？」

鴻ノ池が呆然とつぶやいた瞬間、ガシャンという大きな音が部屋に響いた。反射的に振り返った僕の目に、割れた窓ガラスと、黒い光沢を放つ圧力鍋が映し出された。

圧力鍋の蓋には、金属製の箱が溶接されており、そこに液晶画面とテンキーがついている。

「これって……」

僕の半開きの口からかすれ声が漏れると同時に、液晶画面が灯《とも》った。

『00：01：00』と……

『00：00：59』、『00：00：58』、『00：00：57』、『00：00：56』……

表示される数字がどんどん少なくなっていく。それが何を示すのか、混乱している僕の頭でもすぐに分かった。

「ば、爆弾です！」

服部が声を嗄《か》らして叫ぶ。

やっぱりそうか！　これが『日本の目覚め』がテロに使っている爆弾か。

僕は爆弾に近づき、それを外に投げ捨てるために手に取ろうとする。

「触るな！」

鷹央の鋭い一喝が、僕の動きを止める。

「すでにカウントダウンがはじまっている。起爆装置は作動済みだ。ここで動かせばすぐに爆発する。そうだな？」

服部は、「はい！」と上ずった声で答える。

「もうこの爆弾を解除する方法はありません。五十秒後には爆発して、この部屋、いやアパートは炎に包まれます」

「なら早く逃げないと！」

鴻ノ池が玄関に走り、扉を開く。桜井、服部もあわててそれに続いた。しかし鷹央は動くことなく、目を見開いて部屋の中を観察していた。

「鷹央先生、何やってるんですか⁉　行きますよ！」

僕が声を張り上げると、鷹央は「もうちょっとだけ！」と叫ぶ。

「この部屋にはきっと、天王寺龍牙が作っていた爆弾の保管場所を示す手がかりがあるはずなんだ。爆発してその手がかりが消えてしまう前に、記憶に刻んでおかないと。お前は先に逃げていろ。私もすぐ後に行く」

「なに言っているんですか！」

僕は鷹央の手を摑むと、ネコを彷彿させるその瞳を至近距離で覗き込む。

「先生を置いて、一人で逃げられるわけがないでしょ！　僕は先生の部下であると同時に相棒です。相棒を一人だけ危険に晒すわけにはいきません！」

「相棒……」

鷹央は目をしばたたいたあと、にっと口角を上げる。

「分かった。あと五秒だけ待て。そしたらすぐに脱出するぞ」

僕が「はい！」と頷くと、鷹央は再度、目を見開いて部屋の中をぐるりと観察した。

「よし、全部脳に刻み込んだ。出るぞ！」

「分かりました。行きましょう」

爆弾の液晶画面に表示される数字は、すでに三十を切っていた。すぐに部屋を出て、できるだけ遠くに逃げなければ。

僕は鷹央の手を引いて玄関へと向かう。扉を開けて外に出た瞬間、鷹央が「うおっ」と声を上げてバランスを崩した。

普段、何もない廊下でよく躓《つまず》いたりしているような人だ。慌てて走れば、足が縺《もつ》れても不思議はない。

僕がついててよかった。そうじゃなければ、転んだ鷹央が爆発に巻き込まれていたかもしれない。

僕は鷹央の手をグイっと引きあげて体勢を立て直させると、腰を曲げて鷹央の膝裏に左腕を回した。

「よいしょっと」

気合の声と同時に、僕は鷹央の体を抱き上げる。俗に言う、『お姫様抱っこ』という体勢だ。想像よりもはるかに軽い鷹央の体に、一瞬僕もバランスを崩しそうになる。

「お、おい、何するんだよ。下ろせって」

「だめです。危ないから、おとなしくしていてください」

僕が真剣な声で言うと、鷹央は「わかったよ……」と首をすくめた。

鷹央を抱きかかえたまま、僕は歩道を全力で走る。百メートルほど離れた前方にいる鴻ノ池たちが、大きな声を上げながら手招きをしていた。

次の瞬間、轟音《ごうおん》が辺りの空気を震わせた。背中から爆風が吹きつけ、巨大なハンマーで殴られたような衝撃に僕はたたらを踏む。

なんとか鷹央ごと転倒することを避けた僕は、振り返って背後を見る。

さっきまで僕たちがいたアパートの三分の一ほどが、巨大な怪獣に食いつかれたかのように抉《えぐ》り取られていた。

ガスボンベにでも引火したのか、再度爆発音が響き、そして炎がアパートを呑み込んでいくのを、僕は呆然と眺める。

「『アイスマン事件』はまだ終わっていないな……」

つぶやく鷹央の横顔が、アパートを包んだ炎に赤く照らされていた。

第三章　破滅へのカウントダウン

1

「あのアパートにはもうほとんど入居者はおらず、近隣住民も合わせて、爆発に巻き込まれた被害者はいませんでした」

服部《はっとり》の報告を聞いた鷹央《たかお》は「不幸中の幸いってやつだな」と、小さく安堵《あんど》の息を吐いた。

天王寺《てんのう》龍牙《じりゅうが》の『工房』だったアパートが爆発した三日後の朝八時半過ぎ、僕たちは鷹央の〝家〟にやってきた服部から、爆発事件についての報告を受けていた。

アパートを包み込んだ炎は、駆けつけた消防隊によって約一時間後に消火された。しかし、古い木造アパートだけあって建物全体が焼け落ちており、焼け跡には炭化した柱だけが立っているようなありさまだった。

服部と桜井《さくらい》の計らいもあって、僕たちは特に事情聴取されることもなくその場を後にした。

そして昨日の夜に服部から、アパートの焼け跡を調べてわかったことについて報告をしたいという連絡があり、今日こうして話を聞くことになっていた。

「それで、天王寺龍牙が同時多発爆弾テロ用に保管していたという大量の爆弾は見つかったのか？」

鷹央の問いに、服部は弱々しく首を横に振る。

「残念ながら、焼け跡を徹底的に探しましたが、爆弾は部屋に投げ込まれて爆発したあの一個の残骸しか見つかりませんでした」

「天王寺龍牙は、作った爆弾をほかの場所に保管していた。つまり『工房』のほかに、『保管庫』があるということだな」

鷹央は腕を組んであごを引くと、探るように上目づかいで服部の顔を見た。

「それで、『日本の目覚め』はすでにその爆弾を手に入れたのか？」

僕は喉を鳴らして唾を飲み込む。もし『日本の目覚め』が大量の爆弾を手に入れていたとしたら、いつ東京で同時多発爆弾テロが起き、日本中が混乱の渦に巻き込まれてもおかしくないのだ。

「いえ、おそらく奴らもまだ爆弾を手に入れてはいないと、我々は考えています」

「我々というのは警視庁公安部のことか」

鷹央の問いに服部は「違います」とかぶりを振った。

「警視庁、いえ警察全体の考えと思っていただいて結構です。今回の件に関しては公安部も全面的に刑事部と協力し、情報共有する方針となりました。公安部が持っていた『日本の目覚め』についての情報も全て、爆発事件の捜査本部に提供し、さらに私も含めて捜査員も派遣しています」

「そうか……。桜井はどうしている？」

「桜井も俺と同じように、爆発事件の捜査本部に参加しています。秋葉俊平の殺害が『日本の目覚め』のメンバーたちによるものであり、一連の爆発事件と関係しているとわかったもので」

「反目しあっている警視庁捜査一課と警視庁公安部が、同じ捜査本部でともに捜査に当たっているということか」

言葉を切った鷹央の表情が険しくなる。

「つまり、それだけ切羽詰まった事態ということだな」

「はい。一刻も早く天王寺龍牙が隠した爆弾を確保しなければ、地下鉄サリン事件以来の大規模テロが、この東京で起きかねない。そのために、いま我々は一丸となっています」

「状況は分かった」

鷹央は大きく息を吐く。

「それでは話を戻そう。どうしてお前たちは、まだ『日本の目覚め』が爆弾を確保していないと判断しているんだ?」

「簡単なことですよ。もし奴らが爆弾を確保していたら、あの『工房』に爆弾を投げ込む理由がないからです」

「やつらは、私たちがあの部屋を調べ、『保管庫』を見つけることを防ぐために、とっさに爆発させたってことか。まあ、たしかに理にかなっているが、断定していいものか?」

鷹央があごを撫でる。服部は「それだけじゃありません」と声をひそめた。

「秋葉《あきば》以外にも、『日本の目覚め』の中に内通者はいます。秋葉と同じように、組織の中では下っ端なので、核心に迫る情報は得られていませんが、少なくともこれは確かです」

服部はもったいをつけるかのように、一拍置いてからいう。

「『日本の目覚め』のメンバーたちは、いまも必死に爆弾を探しています」

「警察とテロリスト、どちらが先に爆弾を見つけるか、その勝負ってわけだな。勝算はあるのか?」

鷹央の問いに、服部は「もちろんです」と覇気のこもった声で答えた。

「刑事部と公安部が力を合わせ、全力で捜査を開始したことにより、『日本の目覚め』に関する情報が急速に集まりつつあります。間もなく組織の全容が暴かれ、壊滅させることができるでしょう。奴らは追いつめられている。だからこそ貴重な爆弾を使ってまで、『工房』を爆破して捜査を妨害するという暴挙に出たんです」

「貴重な爆弾？」

鷹央が聞き返す。

「つまりもう、『日本の目覚め』はあまり爆弾を持ってないということか？」

服部は「はい」と、重々しく頷《うなず》いた。

「我々が得ていた情報では、『日本の目覚め』はこれまでのテロで天王寺が秘蔵している以外の爆弾をほぼ使い切っています。一週間ほど前の情報では、残っているのは一、二発だということでした」

「ということは、『工房』で一つ使ったので、残りは多くても一発ってことだな。そして爆弾の製造者である天王寺龍牙が亡きいま、保管されている爆弾を見つける以外に、テロを続け、悲願を果たすことはできないというわけか」

「ええ。奴らはなりふり構わなくなっています。ですから、皆さんも……どうぞ気を付けてください」

「『日本の目覚め』がまた、私たちに危害を加えようとする可能性があると？」

鷹央の声が低くなる。僕のとなりで話を聞いていた鴻ノ池の顔がこわばった。

「皆さんは『工房』を見ています。追い詰められた奴らはいまや、手負いの獣のようなものです。念には念を入れ、何卒お気を付けください」

「まあ大丈夫だろ。天下の警視庁が、わざわざ警備をしてくれているんだからな」

鷹央は後頭部で両手を組む。一日前から桜井と服部の計らいで、警察が僕たちの周辺の警備を強化していた。人形町《にんぎょうちょう》にある僕の自宅マンションや、鴻ノ池《こうのいけ》が住んでいる研修医寮の周囲の巡回を増やしてくれたし、天医会《てんいかい》総合病院にいたっては複数の制服警官を配置する力の入れようだ。

この〝家〟がある屋上へとつながる階段にも、警察官が二人、常駐していた。

鷹央の姉にして、この病院の事務長である真鶴《まづる》は、警察官が警備にあたると聞き、妹がまたおかしなことに巻き込まれた……、というか首を突っ込んでいるのではないかと心配していた（そしてその心配は、完全に当たっていた）が、桜井が持ち前の腹黒さを使った話術でけむにまき、適当な理由をでっち上げて警備を許可してもらっていた。

騙《だま》すような形になった真鶴に対して罪悪感をおぼえなくもないが、まさか日本中を震撼《しんかん》させている凶悪なテロリストに狙われているなどとは言える訳もないので仕方がない。

「では、私はこの辺りで失礼いたします」

服部は慇懃《いんぎん》に一礼する。

「もし何か、少しでも情報がありましたら、今度はもったいをつけることなく、即座に教えてください。どんな些細《ささい》なことでも結構ですので」

懇願するような服部の口調からは、それだけ事態が切迫していることが伝わってきた。

「『日本の目覚め』が『保管庫』を見つけたら、早い段階で同時多発爆弾テロを起こすと、お前たちはふんでいるのか?」

鷹央の問いに、服部は数秒、答えるかどうか逡巡《しゅんじゅん》するようなそぶりを見せたあと、小さく頷いた。

「はい。我々が掴んでいる情報では、『日本の目覚め』がもともと予定していた同時多発爆弾テロの決行日はすでに過ぎています。爆弾以外のすべての準備が整っている状態です。爆弾さえ手に入れば、奴《やつ》らは即座にテロを実行するでしょう」

淡々とした服部の口調が、逆にそれが誇張でない事実であることを感じさせる。

「だからこそお前ら公安部もプライドをかなぐり捨てて、刑事部と全面的に協力してるってわけか」

「……言ったでしょ。私たちはこの国の安全を守るためなら、どんなことでもするって。私たちのプライドなんて、国民の安全に比べたら、ゴミほどの価値もありません。そんなもの喜んで捨てますよ」

服部は再び「失礼します」と会釈すると、家から出て行った。

「『保管庫』か……」

鷹央は反り返るようにしてソファーの背もたれに体重をかけると、ゆっくりと瞼《まぶた》を落とした。きっと爆弾が炸裂《さくれつ》する直前に見た、天王寺龍牙の『工房』を思い出しているのだろう。

鷹央には『映像記憶』という、一度目にしたものを写真を見返すように頭の中で再現できる特殊能力がある。この三日間、鷹央は何度もこうして『工房』を見返し、なにか手がかりがないか探っていた。

「ああ、くそっ」

数分後、鷹央は目を開くと、軽くウェーブのかかった長い黒髪を掻き上げる。

「やっぱり手がかりは見つかりませんか？」

訊《たず》ねた僕を鷹央は横目でじろりと睨《にら》んできた。

「私にばっかり頼っていないで、お前も少しは考えろよな。天王寺龍牙が救急部に搬送されたとき、何か言っていなかったか？　ヒントになりそうな情報はなかったのか？」

鷹央は早口でまくしたてる。

「と、言われましても、搬送時すでに心肺停止状態で、しかもトランクス一枚しか穿《は》いていない状態でしたからね……」

「それだ！」

鷹央は突然、大きな声を出す。

「な、なんですか？　それって……」

軽くのけぞる僕の鼻先に、鷹央は指を突きつけてきた。

「どうして天王寺龍牙はトランクス一枚だったんだ？　やつがどうして熱帯夜に凍死したかについては、ほぼすべて真相が明らかになった。唯一残っている謎がそれだ。なぜ天王寺龍牙は発見時に服を着ていなかったんだ？」

「この前、桜井さんに見せてもらった動画では、コンビニでウイスキーを買ったとき、Tシャツとジーンズに、しっかりサマージャケットを着ていましたもんね。靴も履いていたし」

鴻ノ池が記憶をたぐるように言う。

「そうだ。そして、その約一時間後、コンビニから五百メートルほど離れた久留米池《くるめいけ》公園の森の中で天王寺龍牙は半裸で発見された。一時間の間に、天王寺龍牙はなぜ服を脱ぎ、それはどこに消えたのか。それだけがわからない」

　鷹央が頭を抱えて唸りだしたとき、ローテーブルに置かれた彼女のスマートフォンが陽気なアニソンを奏ではじめた。

「誰だよこんなときに。こんな番号知らないぞ」

　液晶画面に表示された０９０からはじまる電話番号を睨むように見ながら、鷹央は乱暴に『通話』のアイコンを押すとスピーカーモードにする。スマートフォンからしわがれた男の声が響いてきた。

『刑事は帰ったな？　いまその〝家〟には誰がいる？』

「はぁ？　誰だよお前。〝家〟にならうちの医局員、二人がいるぞ」

　眉根を寄せながらも、鷹央は律儀に質問に答えた。

「私、研修医だから、まだ統括診断部の医局員ってわけじゃないんですけど……」

　鴻ノ池が小声で訂正するが、鷹央はそれを無視して、スマートフォンに向かって話し続ける。

「服部が帰ったのを知ってるのはどうしてだ？　お前は警察の関係者か？」

『……私は天照大神《あまてらすおおみかみ》の尖兵《せんぺい》だ』

　スマートフォンからその声が聞こえた瞬間、部屋の空気がざわりと揺れた。鷹央の表情が強張《こわば》り、鴻ノ池が目を見開いて片手で口を押さえる。

天照大神の尖兵。『日本の目覚め』のメンバーが自分たちを呼称する言葉。この通話相手は、いま日本を震撼させているテロリストの一人だ。

僕は素早くポケットから自分のスマートフォンを取り出し、通話履歴から桜井の携帯番号を探し出す。

まさか相手から接触してくるとは思っていなかった。しかも声の感じからすると、通話相手はかなり高齢だ。もしかしたら『日本の目覚め』の中心人物の一人かもしれない。

これはチャンスだ。すぐに桜井に連絡をすれば、これまで警視庁公安部さえ把握できなかった『日本の目覚め』の中枢に近づけるかもしれない。

僕が桜井に電話をかけようとした瞬間、スマートフォンから『誰にも連絡をとるな。特に警察にはな。後悔することになるぞ』という警告の声が飛んだ。『発信』のアイコンに触れかけていた僕の親指の動きが止まる。

「……後悔っていうのはどういう意味だ？」

鷹央は警戒で飽和した声で訊ねる。

『言葉で説明するより、見る方が早い。病院の一階に行って、電話ボックスを見ろ。途中にいる警官には、なにも言うなよ』

「電話ボックス？」

鴻ノ池が鼻の付け根にしわを寄せる。

「そんなもの、うちの病院にありましたっけ？」

「……ある。携帯電話を持たない高齢者向けに、外来待合の隅に二つだけ、設置されたままになっている。最近はほとんど使う人はいないがな」

鷹央は低い声で言うと、ローテーブルに置かれていたスマートフォンを鷲摑《わしづか》みにして、玄関へと向かった。

「あっ、鷹央先生、待ってください！」

僕は鴻ノ池とともに、慌てて鷹央のあとを追う。〝家〟を出た僕たちは指示通り、見張りの警察官になにも伝えることなく階段を早足に降りていき、一階へと到着する。

まもなく診察がはじまる時間とあって、一階の外来待合にはかなりの患者がいた。僕たちは患者とすれ違いながら、フロアの隅へと移動して行く。

さっき鷹央が言ったように、病院の正面入り口から一番離れた奥、数台の診療料金自動精算機の後ろに隠れるように、二台の少し色のついたガラスでできた電話ボックスが並んでいた。そのうちの一台の正面に大きく、『故障中　使用禁止』と書かれた貼り紙がついている。

僕たちは小走りにその電話ボックスの前まで移動する。ガラス越しに、張り紙がされている方の電話ボックスの中を覗き込んだ鷹央の口から、くぐもった呻《うめ》き声が漏れた。

鴻ノ池が小さな悲鳴を上げ、僕は血がにじむほど固く唇を嚙《か》む。

そこに爆弾があった。圧力鍋に金属製の箱が取り付けられた、天王寺龍牙の『工房』に投げ込まれたものと全く同じ爆弾が。

金属製の箱についている液晶画面には『03：18：24』というデジタル数字が点滅していた。

その数字がじわじわと減っていく。周囲の酸素が薄くなっていっているような息苦しさをおぼえ、僕は胸元を押さえた。早鐘のような心臓の鼓動が掌《てのひら》に伝わってきた。

『見つけたみたいだな。昼過ぎにその爆弾は爆発する』

スマートフォンから声が聞こえてくる。鷹央は慌ててその音量を下げた。まだ外来がはじまってすらいないので、自動精算機の周りには患者はいない。声を抑えれば会話を聞かれることはなさそうだ。

「ふざけるな！　ここは病院だぞ。病と必死に闘っている人々が来る場所だ。そこに爆弾を仕掛けるなんて！」

鷹央は小さいが、強い憤りが滲む声で言う。

『弱者であろうが強者であろうが関係ない。人の命は平等だ。そして、この国が目覚めるきっかけになるなら、どんな充実した人生を送るより、その者の命は価値を持つことになる』

「……すぐにこの爆弾を解除しろ。解除コードを教えろ。いますぐにだ。知っているんだろうな」

食いしばった歯の隙間から絞り出すように、鷹央は言う。

『もちろん知っている。解除コードは、天王寺龍牙が隠した爆弾の在りかの情報と引き換えだ。爆弾はどこに保管されている？』

「私が知っているわけないだろう！」

鷹央が声を荒らげる。

『いやお前たちは知っている。知っていて、ずっと隠しているんだ』

「なんでそんなことする必要があるっていうんだ。知っていたら、さっさと警察に教えているに決まっているだろ」

『どうしてお前たちが爆弾の場所を隠しているかまでは、我々にはわからないし、興味もない。我々にとって重要なことは、爆弾の在りかを知っているのはお前たちしかいないということだ』

スマートフォンから聞こえてくる平板な声からは、交渉の意図がないことが伝わってきた。

『爆弾の在りかを教えるか、それとも病院で爆弾が炸裂して、多くの患者が命を落とすか、二つに一つだ。我々はどちらでもかまわない』

「どちらでもかまわないって……」

鷹央が絶句するのを尻目に、相手は淡々と言葉を続ける。

『病院という弱者が集まる場所で、多くの犠牲者が出る爆発事件が起きれば、国民に大きなショックを与えることができる。それはこの日本という国を目覚めさせるきっかけになりうる』

「そんな馬鹿げた妄想のために、何の罪もない人々を殺そうっていうのか！」

鷹央の声が裏返った。

『大義のために、犠牲はつきものだ』

相手は『大義』という妄想に憑《と》りつかれ、酔っている。説得は不可能だ……。

僕は振り返って外来待合を見渡す。数十人の患者が診察の順番を待っている。まだ外来がはじまっていないというのに、これだけの人数がいるのだ。三時間後には、このフロアには二百、下手すれば三百人を超える人々がいる。

三日前、天王寺龍牙の『工房』があったアパートを破壊した爆弾の威力を思い出す。あれと同レベルの爆弾がここで炸裂すれば、百人を超える命が失われるだろう。

必死に病と闘っている人々の命が……。

絶対にそれだけは避けなくてはならない。まずこの場にいる人たちを避難させ、そして桜井か服部に連絡をして爆弾処理班を呼んで……。

僕は荒い息をつきながら、いまにもショートしそうなほどに過熱した脳細胞を働かせる。

『分かっているだろうが、患者を避難させたり、警察を呼んだりはするな』

まるで僕の思考を読んだかのように、男が言った。

『当然そこを監視している。おかしな動きがあれば、すぐに爆破する。その爆弾は遠隔操作だ』

心が漆黒に染まっていく。

『その爆弾を解除するには、他の爆弾を保管している場所を俺に教えるしかない。隠された爆弾を確保でき次第、解除コードを教えてやる。その気になったらこの番号に電話してこい』

そう言い残して、唐突に通話が切れた。

スマートフォンを持った鷹央の手がだらりと下がり、ピーピーという電子音が空気を揺らす。

「どうすればいいんだ……？　このままじゃ患者たちが……」

かすれ声でつぶやく鷹央の顔は、死人のように青ざめていた。

「もし『保管庫』の爆弾が『日本の目覚め』に渡ったら、どれだけの犠牲が出るかわからない……。けれど『保管庫』の場所を教えなければ、ここで爆弾が爆発してしまう……。うちの病院の患者たちが命を落としてしまう……。どうすればいい？　服部か桜井に連絡をする？　けれど、それをしたら遠隔操作で爆発させるって……。ここが監視されていたら、何もできない。患者たちを避難させることさえも……。もう私にできることは何もない……」

焦点を失った目で虚空を眺めながら、鷹央は呪文でも唱えるかのように、ぶつぶつと平板な声でつぶやき続ける。その姿を見て僕の胸に絶望が広がっていく。

鷹央ですら、いまどうするべきなのか答えが出ない。いや、そもそも答えなんて無いのかもしれない。

「これはトロッコ問題だ。何もせず、このまま百人を超える患者が命を落とすのを傍観するのか。それとも、もっと多くの人々の命が奪われ、社会が混乱に巻き込まれることを理解した上で、たくさんの爆弾を渡してうちの患者の命を救うのか」

鷹央の口調が絶望で飽和していく。

トロッコ問題。線路を走っているトロッコが制御不能になった。このままでは、前方の線路にいる五人の作業員が轢《ひ》き殺されてしまう。しかし目の前にある分岐器を切り替えればトロッコは別路線に入り、そちらに居る一人の作業員は命を落とすが五人は救われる。

この状況で分岐器を切り替えるべきか否か。すなわち、多数の命を救うために、少数の命を犠牲にすることは許されるのかという思考実験。

この命題に明確な解答があるわけではない。そして鷹央は解答がない問題を苦手としている。

彼女の超人的な頭脳は常に『真実』を、『唯一の答え』を求めるから。

答えのない命題に、鷹央の細胞が繰り返しエラーを起こし、ショートしかけていることが傍目《はため》にも見てとれた。

このままではダメだ。鷹央の頭脳なしでは、このまだかつてない難局を乗り越えられるわけがない。

全身から力が抜けていく。僕がその場に崩れ落ちそうになったとき、破裂音が響き渡った。体がびくりと震え、白く濁った膜が張っていたかのような視界がクリアになる。

「鷹央先生も、小鳥《ことり》先生も落ち着きましょう」

柏手《かしわで》でも打つかのように胸の前で両手を合わせた鴻ノ池が、張りのある声で言う。

「パニックになっても、何も解決しません。まずは、いまやるべきことを考えましょう」

「いまやるべきことって……、それがわからなくて困っているんじゃないか。患者たちの命か、それともその後のテロで失われる多くの人々の命か、どちらを守るべきなのか……」

鷹央が蚊の鳴くような声で言うと、鴻ノ池は「違います」と鷹央の頬を挟むように両手を当てる。

「いまはまだ、それを選べるような状況ですらありません。なぜなら私たちはまだ爆弾の『保管庫』の場所を知らないんですから」

「あ……」

鷹央の口から呆《ほう》けた声が漏れる。

「そうです。私たちはまだトロッコ問題を考えられる立場にもないんです。目の前に『分岐器』がない状態なんです。いますべきことは『保管庫』の場所を突き止めること。『分岐器』を見つけて、いつでもトロッコを切り替えられる状態にすることなんです」

鴻ノ池は鷹央の両頬を挟んだまま、額が付きそうなほどに顔を近づけていく。

「きっと相手も焦っているはずです。だって手元にある最後の爆弾をここで使ったんですよ。残った最後のカードを切って勝負にでなくちゃいけないほど、追い詰められているんです」

「相手も追い詰められている……」

鷹央は呆然《ぼうぜん》とつぶやく。

「そうです。すぐに『保管庫』を見つけて、そこにある爆弾を手に入れないと、きっと自分たちの立場が危うくなるんです。だからこそ破れかぶれになって、こんな強引な手段に出たんじゃないでしょうか」

「だとしたら、つけ入る隙はあるってことか……」

鷹央は口元に手を添えると押し殺した声で言う。虚《うつ》ろだったその目に、意思の光が戻りはじめていた。

「そうです！　そのとおりです！」

鴻ノ池が力強く頷くと、鷹央は再びぶつぶつとつぶやきはじめる。しかしさっきまでの蚊の鳴くような声ではなく、その声には力がこもっていた。

「そう、爆弾だ。天王寺龍牙が保管していた大量の爆弾。それさえ確保できれば、強力なカードが手に入る。奴らと交渉することも可能になる」

答えのないトロッコ問題ではなく、天王寺龍牙の『保管庫』がどこにあるのか、という答えのある問いに取り組みはじめたことで、鷹央の超高性能の脳が一気に演算をはじめた。

「なぜ『日本の目覚め』は、私たちが『保管庫』の場所を知っていると思っているんだ……？　天王寺龍牙がうちの病院に運び込まれたからか？　命を落とす前に、あいつが何かを言い遺《のこ》したと思っているのか？」

鷹央は数秒考え込んだあと、首を横に振る。

「いやその可能性は低いな。天王寺龍牙は完全に『日本の目覚め』に帰依していた。同時多発爆弾テロにより、国民の目を覚ますという馬鹿げた悲願に、本気で命を捧《ささ》げていた。天王寺龍牙にとって、『保管庫』の場所は、命を捨てても守るべき場所だったはずだ。だからこそあいつは薬品を飲んで体の内側から凍り付いているにもかかわらず、助けを呼ぶことなく、できる限り『工房』から離れたところで命を落とすことで、『保管庫』の情報を守ろうとした。たとえ今際《いまわ》のきわでも、『日本の目覚め』のメンバー以外に『保管庫』の情報を漏らすわけがない」

僕と鴻ノ池は、鷹央の思考を邪魔しないよう、口をつぐんで事態を見守り続ける。

鷹央はあごを引くと、静かにつぶやいた。

「ということは……服か」

「服？」

反射的に聞き返すと、鷹央は大きく頷いた。

「コンビニで解毒剤としてのウイスキーを買ってから、久留米池公園で半裸で発見されるまでの間に消えた天王寺龍牙の服。それに『保管庫』の場所を示すヒントがあったんじゃないか」

「天王寺さんは常に、『保管庫』の場所を示す手がかりを身につけていたということですか？」

鴻ノ池が確認すると、鷹央は首を縦に振る。

「最も重要なものは、常に手元に置いておきたい。それどころか身につけておきたかったのかもしれない。これまでの情報によると、天王寺龍牙は偏執的なまでに警戒心の強い男だったようだ。仲間にも保管庫の場所を教えていなかったことから、それは正しいだろう。そういう男なら誰も信用せず、『保管庫』の情報を常に自分が持っているようにしていてもおかしくない」

鷹央の声に力がこもっていく。

「どうして久留米池公園で発見されたとき、天王寺龍牙は服を着ていなかったのか。その服はどこに消えたのか、それこそがこの爆弾テロを止めるための鍵だ」

鷹央は僕に鋭い視線を投げかける。

「救急隊は、天王寺龍牙が倒れていた周囲には服が落ちていなかったと言っていたんだな？」

「ええ、周囲を探したらしいですが、服は落ちていなかったということです」

あの夜、救急隊員と交わした会話を思い出しながら、僕は答える。

「天王寺龍牙の体に外傷らしきものはなかったよな。もし誰かに無理矢理、服を脱がされたなら、その痕跡が残る可能性が高い」

「いえ、僕が見た範囲では、そんな痕跡はなかったはずです」

僕が答えると、鴻ノ池が「私も気づきませんでした」と声を上げる。

「少なくとも、誰かに襲われて無理矢理服を脱がされたあげく、公園に遺棄されたという感じではありませんでした」

「そうか……」

鷹央は厳しい表情で考え込む。

「もし誰かに服を無理やり奪われそうになったら、天王寺龍牙は意識があれば必死に抵抗したはずだ。それは『保管庫』の場所を示す手がかりを奪われることと同義なんだからな。しかし警察の聞き込みでは、そのような騒ぎがあったという証言はない」

「っていうことは……自分から脱いだ？」

鴻ノ池が首を傾ける。

「いや自分から脱いだってことはないだろ」僕は軽く手を振る。「たしかにあの夜は、うだるような暑さだったけど、天王寺龍牙は体の中から凍りついて、凍死しかけていたんだぞ。逆に何かを着込んで、体を温めたかったはずだ。ねえ、鷹央先生」

鷹央に声をかけた僕は「うっ」と息を呑む。焦点を取り戻していた鷹央の双眸《そうぼう》が、再び虚《うつ》ろになって、自らの両掌を見つめていた。

「自分で脱いだ……。寒いのに……、凍えそうなほど寒いのに、それなのに服を脱いだ。いや凍えそうだからこそ……」

抑揚のない声でつぶやき続ける鷹央を見て、不安が胸に広がっていく。また鷹央は迷路を彷徨《さまよ》いはじめてしまったのだろうか。出口のない思考の迷路を……。

しかし、僕の心配をよそに、鷹央の顔にはじわじわと笑みが広がっていった。

「分かった！　分かったぞ！」

鷹央は両手を広げると高らかに言う。

「え？　分かったって、どうして天王寺龍牙が服を着ていなかったかがですか？」

驚きの声を上げると、鷹央は「それだけじゃない」と唇の端を上げた。

「消えた天王寺龍牙の服がいまどこにあるのか、それも分かったんだ」

「本当ですか⁉　どこにあるんですか？」

僕が思わず前傾して訊ねる。

「悠長に説明している暇なんてはない。一分一秒でも早く天王寺龍牙の服を確保し、『保管庫』を見つけるんだ。小鳥、舞《まい》、行くぞ」

鷹央に促された僕は、「はい！」と床を蹴って走り出した。しかし、隣にいる鴻ノ池は動かなかった。普段はこういうとき、いの一番に走り出す彼女が、足を踏み出すことをしなかった。

「舞……？　どうしたんだ、早く行くぞ」

いぶかしげに鷹央が声をかけると、鴻ノ池は微笑んだ。少しだけ悲しげに。

「私は行きません。ここで待っています」

「待っていますって、お前、なにを言ってるんだ？　ここには爆弾があるんだぞ」

鷹央が声を大きくすると、鴻ノ池は「だからこそです」と目を細めた。

「私たちのうち一人が残って、この爆弾を監視しておく必要があります。誰かが気づいてパニックになったり、間違って動かしたりしないために。そんなことになったら、指定された時間の前に爆発しちゃうかもしれませんから」

「それはそうだが……」

鷹央は口ごもると、助けを求めるかのような視線を僕に送ってくる。だが、僕もなんと言っていいのか分からなかった。

鴻ノ池の言うとおり、誰かが残るべきだ。しかし、その危険極まりない重責を、まだ初期研修医でしかない鴻ノ池に負わせていいはずがない。

「分かった。鴻ノ池、僕が残る。だからお前が鷹央先生のサポートを……」

「だめです！」

僕の言葉を遮るように、鴻ノ池は鋭く言った。

「これはいつもの捜査とは違います。たくさんの患者さんの命がかかっている重大な任務なんです。だから鷹央先生には、ベストの状態で捜査をしてもらう必要があるんです。わかりますよね？」

鴻ノ池はまっすぐに僕の目を見てくる。その視線に圧倒されながら、僕は唇を固く結んで、小さく頷いた。

「だから鷹央先生のそばにいるのは、私じゃなくて小鳥先生じゃないとダメなんです。この一年以上、ずっと鷹央先生を支えてきた『相棒』である小鳥先生じゃないと。私がここに残って、鷹央先生と小鳥先生が『保管庫』を探す。これがベストの布陣なんです」

鴻ノ池の言葉は、反論を許さない強さと、説得力を内包していた。僕と鷹央は硬い表情で黙り込む。

次の瞬間、鴻ノ池はふっと相好を崩すと、ぱたぱたと手を振った。

「やだなあ、二人とも。そんな深刻な顔しないでくださいって。私、犠牲になって死ぬつもりとか、全くないですよ。私はただ、信じているだけです」

「信じているって、何をだ？」

鷹央がおずおずと訊ねると、鴻ノ池はいつも通りの屈託のない笑みを浮かべる。

「もちろん鷹央先生が全ての謎を解いて、『保管庫』の場所を見つけたうえで、この爆弾の解除コードを手に入れることですよ。そうしたらすぐに私に連絡してください。

私がその番号を打ち込んで、この爆弾を止めますから。任せましたよ」

鷹央は数秒間、ぱちぱちと目をしばたたかせたあと大きく息を吐くと、「分かった」と胸の前で拳を握りしめた。

「私に、任せとけ！」

2

「おい、まだ見つからないのかよ」

森に鷹央の苛立たしげな声が響き渡る。

鴻ノ池を残して病院をあとにした僕たちは、すぐに天王寺龍牙が凍えた状態で発見された場所、久留米池公園の森の中へとやってきていた。

ここに着くや否や、鷹央は僕に指示を出した。

「この公園にいるホームレスたちに金を渡して、天王寺龍牙が発見された夜、服を拾ったやつがいないか聞いて回るんだ」

そう言い残した鷹央は僕が理由を聞く間もなく、森の奥へと走って行ってしまった。仕方なく僕は森を彷徨い続け、ホームレスを見つけては千円札を一枚渡して、鷹央が口にした質問をして回っていた。

到着してから、すでに三十分以上が経っている。しかし、未《いま》だに収穫はゼロだった。

僕は腕時計に視線を落とす。

「あと二時間を切っているのか……」

時限爆弾が爆発する十分前をタイムリミットに設定していた。それまでに解除コードを手に入れることができなければ、鴻ノ池は事務長である真鶴に連絡を入れ、可能な限り速やかに避難行動に移るということにしている。

ただ電話での警告が本当なら、本格的な避難行動に移った瞬間に、爆弾が爆発するかもしれない。そうなれば、かなりの犠牲者が出るだろう。

おそらくは鴻ノ池も……。

僕は激しく頭を振って、脳に湧いた不吉な想像を振り払う。そのとき、背後から「あのー」という声が聞こえてきた。振り返ると中年のホームレスが首をすくめ、上目遣いでこちらを見ている。彼が両手に持っているものを見て、僕は大きく息を吞んだ。

それは服だった。ジーンズとTシャツそしてサマージャケット、男物の洋服が一セット、その手に載っていた。

「もしかしてそれって……」

声がかすれる。ホームレスの男は「そうです」と小さく頷いた。

「三週間前、この辺りに落ちているのを、俺が拾いました。誰かが捨てていったものだと思ったんです。なんというか、点々と落ちていたんで」

点々と落ちていた……。ということはやはり、天王寺龍牙は森の中を移動しながら、自ら服を脱いでいったということだろうか。しかし、なぜ彼がそんなことをしたのかまったく理解ができない。

混乱した僕がこめかみを押さえていると、「あったのか！」という声とともに体が突き飛ばされた。

僕を両手で押しのけた鷹央が、襲い掛かるように男の手から服を奪いとる。

「うわっ、押すことないでしょ」

僕が抗議の声を上げるが、鷹央は聞こえていないのか、奪い取った服を貪るように調べはじめていた。

「あのー、その服を渡したら、一万円もらえるって聞いていたんですけど。だから、警察にも渡さなかったものをわざわざ……」

おずおずとホームレスの男が言う。

この人そんな約束までしたのか……。必死に服をまさぐっている鷹央を見てため息をつくと、僕は財布から一万円札を取り出して男に渡す。男が何度も会釈しながら離れて行くのを見送った僕は、鷹央に声をかけた。

「あの男の話では、服は点々とこの森の中に落ちていたらしいです。ということはやっぱり、天王寺龍牙は移動しながら自分で服を脱いでいったということですか？」

「ああ、そうだ」

鷹央は服を調べ続けながら答える。

「鷹央先生はそれを予想していましたよね。どうして天王寺龍牙がそんな行動をとったのかわかるんですか？　なんで天王寺龍牙は命を落とす前に服を脱いだんですか？」

「天王寺龍牙の死因が凍死だからだよ」

「凍死だから？」

意味が分からず、僕は聞き返す。

「凍えて死にそうになっていたら、服をもっと着ようとするものじゃないですか。それなのに、逆に服を脱ぐなんて矛盾していませんか」

「そう、矛盾だ！」

鷹央は急に大きな声を出すと、僕の方を指さした。

「な、なんですか、突然？」

僕が軽くのけぞると、鷹央は左手の人差し指を立てる。

「矛盾脱衣だ！」

「矛盾……脱衣？」

聞き覚えのない言葉に、僕は思わず聞き返してしまう。鷹央の目つきが険しくなった。

「なんだよ、矛盾脱衣も知らないのか。医学的にも重要な現象なんだから、名探偵を目指すならそれくらいは知っておけよ。どんな知識が事件解決につながるかわからないんだぞ」

僕が目指しているのは名探偵ではなく名医です、という突っ込みを僕は飲み込む。いまはそんな悠長なやり取りをしている暇はない。

「その矛盾脱衣っていうのは、一体どういうものなんですか？」

早口でたずねると、鷹央は再び服をまさぐりながら説明をはじめる。

「凍死しかけるほどに低体温になった人間が、なぜか強い暑さを感じ、その結果自ら服を脱いでいく現象だ」

「そんなことがあるんですか⁉」思わず声が大きくなる。「なんで凍えているのに暑く感じるんですか？」

「はっきりとした原因は解明されていない。ただ、生命の危機に際して過剰なアドレナリンが分泌され、それにより体が火照って暑く感じるという説や、低体温症により脳の機能が下がり温熱感覚がうまく処理できなくなっていく説などが有力とされている」

何もめぼしいものが見つからなかったのか、鷹央は調べていたジーンズを無造作に投げ捨てた。

「じゃあ天王寺龍牙は凍死しかけてわけが分からなくなり、体が熱いという錯覚に襲われて、どんどん服を脱ぎながらこの公園を移動していったっていうことですか」

「そうだ。もしそれが街中で起きたなら、脱いだ服は点々と落ちて残っていたし、いかに夜中でも裸の男が歩いているので通報されたことだろう。しかしやつが服を脱いで移動していったのは、多くのホームレスが住んでいる公園の森の中だ。脱ぎ捨てられた服はすべてホームレスに回収され使用され、そして人目も少ないので通報されることはなかった」

鷹央はシャツを調べたまま、唇の端を上げる。

「これこそが『アイスマン事件』の最後の謎の答えだ」

「けど、天王寺龍牙は『保管庫』の手がかりを身に着けていた可能性が高いんですよね。いくら錯覚で暑く感じたとしても、その手がかりを放り捨てていったりするでしょうか？」

声に疑念が混じってしまう。

「普通の状態なら、まずしないだろうな。けれど、矛盾脱衣を起こしているような状態は決して『普通』ではない。低体温症により脳の処理能力が大きく下がっていたはずだ。もはや自分が何をしているのかさえ、よく把握できていなかっただろう。だったら重要なもの、命を捨ててまで守ろうとしたものすら落としていってもおかしくない」

そこまで言ったとき、服をまさぐっていた鷹央の動きが止まる。彼女の口角が上がっていった。

「このジャケットの内ポケットに入っている『何か』すらな」

「何か見つけたんですか⁉」

僕は鷹央に駆け寄る。

鷹央は「触ってみろ」と、僕にジャケットを差し出した。薄手のサマージャケットの内側、そこにある内ポケットが開かないよう丹念に縫い付けられていた。

僕は内ポケットに触れる。生地を通して、硬い感触が指に伝わってきた。

「何か入っています！」

「きっと『保管庫』の位置を示す手がかりだ！　破って取り出せ！」

僕は「はい」と答えるやいなや力を込めて内ポケットの周囲の生地を引っ張る。びりびりという音とともに内ポケットの口を縫い付けていた糸が切れた。僕は迷うことなくポケットの中に入っている物を取り出した。

それは鍵だった。長さ五センチはあるであろう無骨で、単純なつくりの鍵。

「貸せ！」

鷹央は僕の手から鍵を奪い取ると、それをまじまじと観察する。その童顔に浮かぶ表情が険しくなっていく。

「これはきっと『保管庫』の鍵だ！　そうに違いない。けれど……肝心の『保管庫』の場所を示す手がかりが、この鍵にはなにもない。これじゃあ、天王寺龍牙が隠していた爆弾の在りかがわからない！　畜生！　どうすればいいんだ！」

鷹央が苦悩に満ちた声で言う。しかし、僕はそれに答えることなく立ち尽くしていた。

脳の奥底に眠っている記憶が浮き上がってくる感覚。

次の瞬間、僕の口から「ああ！」と声がほとばしった。鷹央の華奢《きゃしゃ》な体が震える。

「な、なんだよ？　急にでかい声を出して！」

「わかりました。わかったんです。保管庫の場所が」

ぼくが呆然と言うと、ネコを彷彿《ほうふつ》させる鷹央の大きな目が見開かれた。

「本当か！　間違いないのか！」

「ええ、間違いありません。僕を信頼してください」

「分かった、信頼する」

鷹央は即答する。一瞬の迷いもない反応が、なぜか無性にうれしかった。

僕は鷹央に向かって手を差し出す。

「『保管庫』に行きましょう！　そして僕たちなりの『トロッコ問題』の答えを示しましょう！」

「おう！」

鷹央は僕の手を迷うことなく握りしめる。

その小さな手から伝わってくる力強さに、心が温かくなっていった。

3

天井についた扉が開き、二人の男が神経質に辺りを見回しながら階段を降りてくる。階段を降りきったところで、前を進んでいた男が壁についているスイッチを押す。天井の裸電球が灯り、オレンジ色の光に殺風景な地下室が浮かび上がった。

「おおおおおおぉぉぉ！」

高齢の男性が歓声を上げながら部屋の奥へと向かっていく。そこには壁一面に金属製の棚が設置されており、三十個ほどの圧力鍋を改造した機器、天王寺龍牙の『作品』である爆弾が並んでいた。

「やった！　やったぞ！　これだけあれば、俺たちの悲願が達成される。再びこの国を目覚めさせることが……」

感極まったのか、老人が言葉を詰まらす。彼とともに地下室にやってきていたメガネをかけた男が、「やりましたね。本当に良かった……」と老人の背に手を添えた。

「まさか、こんなところにあったとは……」

老人が棚に並んだ爆弾に手を伸ばしたとき、「そうだよな、こんなところにあるとは思わないよな」という楽しげな声が、埃《ほこり》っぽい空気を揺らした。

階段の陰で息を潜めて隠れていた鷹央が微笑《ほほえ》みながら姿を現す。彼女と共に隠れていた僕もゆっくり立ち上がった。爆弾を見つけて、歓喜の表情を浮かべていた二人の男の顔に緊張が浮かぶ。

「ただな、よくよく考えると、ここはなかなかいい隠し場所なんだ。なんといっても、建物の取り壊しが決まっているんだから、当然電気設備の設置ももう行われないだろうからな」

鷹央は目を細める。僕たちがいるこの地下室は、第二の『アイスマン』である秋葉俊平《しゅんぺい》がアルコールをかけられ強い風を吹きかけられて殺害された建物の、電気設備が設置されるはずの地下空間だった。

先週、この工事現場の建物に入るとき、地下へと降りる扉がやけに頑丈そうな南京錠で施錠されているのを見た。天王寺龍牙のジャケットの内ポケットに隠されていた大きく無骨な鍵を見た瞬間、僕はそのことを思い出し、鷹央とともにここにやって来た。

この地下のそばにある建物の周囲には雑草が生い茂っていた。それはきっと、工事が中断し、ほとんどの工事関係者が行き来しなくなったためだろう。しかし、その建物の電気設備を配置する予定だったこの地下室への出入り口の周囲には雑草が生えていなかった。つまり、工事が中断している間も、誰かが地下室に出入りしていたということだ。誰か……。そんなの決まっている。この地下の電気設備の設置の仕事をしていた人物。そう、天王寺龍牙だ。

そのことに気づいた僕は、鷹央とともにこの地下室へとやってきた。そしてこの空間こそが『保管庫』であることを確認した僕たちは、二時間ほど前に脅迫電話をかけてきた『日本の目覚め』のメンバーに、連絡を取ったのだ。

「ああ、そっちのメガネの男、見覚えがある。天王寺龍牙のマンションに行ったときにいた、『便利屋』のリーダーだな。あのときは偽の名刺をありがとうよ」

鷹央は皮肉っぽく言いながら、軽く手を上げる。

「しかし、お前も間抜けだよな。警察の目を『工房』からそらすために、この工事現場で秋葉俊平を殺害したっていうのに、実はもっと重要な『保管庫』がすぐそばにあるなんてな。よかったな、警察が間抜けで、建物の中しか捜索していなくて。ここが見つかって爆弾が押収されていたら笑い話だったぞ」

小馬鹿にするように言った鷹央は、メガネの男の隣にいる高齢の男性に視線を向ける。

「それとも、すべてはそっちの爺《じい》さんの指示だったのかな？」

僕たちはその男性にも会ったことがあった。

いや、それどころか今回の事件について、彼に詳しく説明さえしていた。

鷹央は言葉を切ってピンク色の唇の端を上げると、その男に語り掛ける。

「やっぱりお前が黒幕だったのか。天王寺正一《しょういち》」

天王寺龍牙の父親である天王寺正一は、しわと染みの目立つ顔を大きく歪めた。

＊

裸電球の橙《だいだい》色の光に照らされながら、鷹央は天王寺正一に、老いたテロリストにしゃべり続ける。

「お前が行政解剖を拒否したとき、私は必死に説得しようとした。お前の息子は何らかの事件に巻き込まれたかもしれない、それを明らかにするためには解剖が必要だってな。いま考えれば、滑稽なことをしていたよな。お前は誰よりも息子の死の真相を暴きたくなかったんだ。もし解剖なんかしたら、明らかになってしまうかもしれないもんな」

そこで言葉を切った鷹央はあごを引き、鋭い視線を正一に投げかける。

「お前が育て、教育して作り出した『爆弾製作者』だってな」

正一は歯茎が見えるほどに唇を歪《ゆが》めた。鷹央は気にするそぶりもを見せず、説明を続けていく。

「ずっと違和感をおぼえていたんだ。大学に入ってから勧誘され感化されたにしては、天王寺龍牙があまりにも『日本の目覚め』の思想に染まりすぎているってな。しかし、奴が大学生になってからではなく、幼少期から歪んだ思想教育をされていたとしたら、すべて納得がいく」

鷹央は、上目づかいに正一に視線を送る。

「息子の遺体を引き取りにきたとき、お前は言っていたな。『息子に夢を託した』、『将来は自分の家業を手伝ってくれると楽しみにしていた』と。まさかその『夢』が爆弾テロで、『家業』が農業ではなくてテロリストだったとはな。さすがに気づかなかったよ」

鷹央はすっと目を細める。

「もしかして、お前が農業を続けていたのもテロを起こすためか？　爆弾の原料となる硝酸アンモニウムは農業用の肥料として広く使われている。農家を営んでいるお前ならそれを大量に手に入れ、爆弾の原料として息子に横流ししても疑われることはないだろうからな」

正一は歯を食いしばったまま何も答えなかった。その沈黙は鷹央の想像が正しいことを示していた。

鷹央は「さて、ここからは推測だが」と前置きすると、説明を続ける。

「お前は組織の中で爆弾の調達を任されていたんじゃないか？　そしてお前は、息子に爆弾を作らせることでその任務を果たし、力を得ていった。そんな、なかなか腕が立ちそうな部下を付けられるほどにな」

鷹央はあごをしゃくり、こちらを険しい顔で睨んでいるメガネの男を指す。

「しかし息子が死んだことでお前の立場は一気に悪化した。極めて慎重だった息子は情報漏洩《ろうえい》を恐れ、父親であるお前にも『保管庫』の場所を伝えていなかった。その状態で息子を失ったお前は、テロのための、お前たちの組織の『悲願』を果たすための、最重要アイテムである爆弾を組織に献上できなくなった」

鷹央はくっくっと忍び笑いを漏らす。

「焦っただろうな。もうすでに、同時多発爆弾テロの計画は動き出していた。そんな状況で爆弾の在りかが分からなくなったなんて、大失態だ。下手をすれば粛清されかねない。だからこそ死に物狂いで『保管庫』を探した。私たちをストーキングし、工房を先に見つけられた際には、残り少ない貴重な爆弾を使ってまで手がかりを消そうとした」

「……そこがわからないんですよ」

黙って話を聞いていた僕は、思わず疑問を口にする。

「どうしてこの男は、僕たちをストーキングしたんですか。なんで僕たちが『保管庫』の場所を知っていると思いこんだんですか？」

「お前たちが天王寺龍牙を救急部で看取ったからだな。そのときに何か話を聞きだしていたんじゃないか、または発見時になにも持っていなかったと言っておいて、実は『保管庫』の場所を示す手がかりを隠していたんじゃないか。そう疑ったんだ」

「どうしてそんなことを？」

僕は首をひねる。

「奴の立場になって考えてみろよ。息子が死んだと聞いて駆けつけてみたら、対応した医者が、『息子は事件に巻き込まれたかもしれない』『解剖すべきだ』『真相を突き止めてみせる』と執拗《しつよう》に食い下がった。さらにそのすぐ後に、その医者たちは刑事を連れて息子のマンションを探索しに来た。爆弾について何らかの情報を持っているからこそ、そんな行動に出たのだと思っても不思議じゃない」

言われてみればそのとおりかもしれない。鷹央と、彼女の行動に慣れている僕たちにとっては普通のことだが、傍目にはそれは何か大きな事件、まさに爆弾テロのような事件の情報を得たからこその行動に見えたのだろう。

「だったらどうした！」

それまで苦虫をかみつぶしたような表情でだまりこんでいた正一が、だみ声を上げた。

「そんなこと分かったところで関係ない。俺たちは悲願のために必要な武器を手に入れたんだからな！」

「それはおめでとう。探し物が見つかってよかったな」

鷹央は鼻を鳴らすと、芝居じみたしぐさで手を打ち鳴らす。

「では、さっさとうちの病院に仕掛けられている爆弾の解除コードを教えてもらおうか。爆発まであと三十分を切っているんだ」

「まだ教えるわけにはいかない。ここにある爆弾をすべて運び出し、俺たちが安全な所に移動してからだ。そうしたら電話で解除コードを教えてやる」

正一の答えに、鷹央は大きくかぶりを振った。

「言っただろ、爆発まで三十分を切っていると。悠長にお前たちが爆弾を運び出すのを待っている余裕なんてないんだよ」

「それならお前たちも爆弾を運び出す手伝いをしろ。なんにしろ解除コードは、俺たちの安全が確保されるまで教えない。コードを教えた瞬間に、ここに警察が押しかけて来るかもしれないんだからな」

「安全な所まで逃げたあと、お前たちが解除コードを教えるという保証はどこにある」

鷹央が舌打ちすると、正一は鼻を鳴らした。

「保証なんてないさ。ただ、お前たちには選択肢なんてない。病院の爆発を止めて患者たちを救いたいなら、俺の言うとおりにしろ。分かったか」

正一は勝ち誇るかのように胸をそらした。

「……いいや、選択肢はあるさ。私たちなりの『トロッコ問題』の解決策がな」

鷹央は低い声でつぶやくと、僕に目配せをする。

僕は大きくうなずくと、そばにある階段をゆっくりとのぼりはじめた。前もって打ち合わせておいた作戦を実行するために。

天井に手が届く高さまで階段を上がった僕は、そこについている扉に南京錠をかけると、持っていた鍵でそれをロックした。

「おい、なんのつもりだ⁉」

正一が怒声を上げる。

「見たまんまだよ。扉に鍵をかけたんだ」

鷹央が歌うように言うのを聞きながら僕は階段を下り、彼女の隣へと戻ってくる。

「これで、爆弾を運び出すためには、私の相棒を倒して鍵を奪うしかなくなったってわけさ」

得意げな鷹央のセリフを聞いた正一は、唇の端をわずかに上げると、あごをしゃくって隣に立つのメガネの男を指す。

「なにを調子に乗っているんだ。こいつは元ミドル級のプロボクサーで、日本ランキングにも載ったことがあるんだ」

正一は低くこもった声で、「……やれ」とメガネの男に命じた。

メガネの男はゆっくりと前に出る。それに合わせて、僕も静かに歩みを進めた。男はメガネの奥から、値踏みをするような視線を僕に浴びせかける。

「それなりに腕に覚えがあるようだな。だがな、プロのミドル級ボクサーの拳を食らったことはないだろ。素手で俺の相手をして、一分以上立っていた奴なんて一人もいない」

不敵な笑みを浮かべた男は、ゆっくりとメガネに手をかけた。

「お前は何秒立っていられ……」

男がそこまで言った瞬間、僕は床を蹴って一気に間合いを詰めた。

「なっ⁉」

外しかけたメガネの奥の目が、驚きで見開かれるのを眺めつつ、僕は男のまたぐらに向かって全力で前蹴りを放つ。

完全に不意をつかれた男はほとんど反応できなかった。体重を乗せた蹴りが、男の金的に炸裂する。柔らかいものが潰れる感触が脛《すね》に走り、数瞬のタイムラグを置いて、男の口から「ぐふぅ⁉」というくぐもった悲鳴が漏れた。

手からこぼれたメガネが床に落ちるのと同時に、股間を押さえた男がその場に膝をつく。

口の端から泡を吹きながら跪《ひざまず》いた男に、僕は近づく。男は恐怖と絶望に満ちた表情で僕を見上げた。

僕は無言のまま右足を軽く浮かすと思いきり腰を回転させた。遠心力を込めた回し蹴りが男の側頭部を直撃する。

まるで爆発に巻き込まれたかのように男の体が吹き飛ばされ、そして正一の足元に力なく倒れ伏せた。

ピクピクと痙攣《けいれん》する部下を正一は呆然と見下ろしたあと、震える指を僕に向けた。

「ひ、卑怯《ひきょう》だぞ！」

「卑怯？」

僕は首を傾ける。

「罪のない人をテロで殺したり、病院に爆弾を仕掛けて脅迫したりするのと、どっちが卑怯かな？」

僕は怒りを押し殺しながら言う。

これは試合でも勝負でもない、多くの人の命がかかった『作戦』だ。どんな卑怯な手を使ってもいいから相手を打ちのめす。

鷹央から作戦を聞いた瞬間から、僕はそう心に決めていた。

「お、俺をどうするつもりだ？」

恐怖で息を乱しながら、正一が訊ねてくる。

「どうもしないよ。お前の相手は僕じゃないからな」

僕は一歩横にずれる。僕の横を、靴を鳴らしながら鷹央が通り過ぎ、正一と対峙《たいじ》する。

「相手はこの私だ。お前から爆弾の解除コードを私が絞り出してやる」

「拷問でもするつもりか⁉　やるならやれ！　大義のためなら命を捨てる覚悟はとっくにできている」

「拷問なんかしないさ。お前が本当の解除コードを喋《しゃべ》るかどうか分からないからな。患者の命がかかっているんだ。そんな不確かな方法を取るわけがないだろ」

「ならどうするつもりだ？」

「簡単だ。チキンレースだよ」

「チキンレース？」

いぶかしげに聞き返す正一に答えることなく、鷹央は棚に近づき、そこから圧力鍋爆弾を一つ取り出して床に置いた。

「こういう意味だよ」

そういうや否や、鷹央は爆弾の上部についているテンキーを押し「00：03：00」と表示させると、『決定』と記されたボタンに指を置く。

「なっ⁉ やめろ！」

目を剝いて叫びながら正一が止めようとするが、その前に鷹央の人差し指がボタンを押し込んだ。

『00：02：59』、『00：02：58』、『00：02：57』……

爆発へのカウントダウンがはじまる。

「もうこの爆弾は動かせない。そして、お前はこの地下室から逃げることもできない。お前が助かるためには、解除コードを打ち込むしかないな。さもなければ、三分後にお前は息子が作った爆弾で木っ端みじんになる」

「な、なんてことを……」

かすれ声を絞り出しながら、正一は鷹央を見る。その瞳には、怪物を目の前にしたかのような怯《おび》えが宿っていた。

「死にたくなかったら、解除コードを打ち込め！　さっさとするんだ！」

鷹央に一喝された正一の顔に、激しい逡巡が走る。

「爆発するなら、それでもいい。私たちも死ぬが、少なくとも同時多発爆弾テロは行えなくなる。ここにある爆弾、すべて誘爆するだろうからな。それならそれでかまわない！」

「も、もし解除コードを打ち込んだら、お前たちはここにあるすべての爆弾を使用不能にするだろ……」

あえぐように正一は言う。それを聞いて、鷹央の顔に笑みが広がった。

「やっぱり、すべての爆弾の解除コードは一緒なんだな。それだけが気がかりだったんだ。これで、お前がこの爆弾を解除すれば、病院の爆弾も無力化できる」

自らの失言に気づき、正一の表情が歪んだ。

「お前は失敗したんだ。解除コードを打ち込むか否かにかかわらず、『大義』とやらは果たされない。お前が犬死にするかしないかの違いでしかない。あきらめてコードを打ち込め」

鷹央は淡々と事実を告げる。正一はまるで気を失ったかのように、その場に跪き、こうべを垂れる。

心臓が早鐘のように鼓動するのを感じながら、僕は歯を食いしばって事態を見守る。

爆発のカウントダウンはすでに二分を切っていた。全身の汗腺から、氷のように冷たい汗がにじみ出してくる。

「……嘘《うそ》だ」

うなだれたまま、蚊の鳴くような声で正一がつぶやいた。鷹央が「ああ？　なんだって？」と聞き返す。

正一は勢いよく顔を上げると、血走った双眸で鷹央を睨《ね》め上げた。

「お前たちみたいな若造が、命を捨てられるわけがない。俺のように何十年も大義のために尽くしてきた戦士とは違う。どうせはったりなんだろ？　爆発する前にここから逃げ出すつもりなんだろ。俺はお前たちが逃げ出したあと、爆発ぎりぎりで解除コードを打ち込んでやる。平和ボケした奴らと、戦士の違いを見せつけてやる！」

正一は両手を大きく広げると、暗い天井を見上げ高らかに哄笑《こうしょう》しはじめる。その姿を冷めた目で見つめた鷹央は、僕に向かって手を差し出した。

「小鳥、鍵を渡せ」

「……はい」

僕は鷹央の掌に、南京錠の鍵を渡す。

彼女が何をするつもりなのか半ば気付きながら。

「やっぱり逃げ出すつもりだったのか。ほらさっさと出て行け。お前らのような甘ったれた……」

甲高い声で叫んでいた正一は言葉を失う。鷹央が迷うことなく、鍵を口に放り込んだのを見て。

鷹央は大きく喉をならすと、この地下室から出るために必要不可欠な道具である鍵を飲みくだした。

「不味《まず》いな……。口直しになにか甘いものが欲しい」

鷹央は渋い表情で舌を出した。

「お、お前……、なにを……」

あえぐように言う正一を、鷹央は睥睨《へいげい》する。

「医者を舐《な》めるなよ」

静かに、しかし強い決意がこもった声で鷹央は言う。

「もし致死性ウイルスのパンデミックが起きたら、私たちはN95マスクと防護服を身に纏《まと》って、有機物でできた殺人マシーンとの戦争の最前線に立つ。それが私たちの職業、医者という仕事なんだ」

鷹央は両腕を伸ばすと、正一が着ているシャツの襟をつかみ、引き寄せる。力なく立ち上がった正一と、鷹央は額が付きそうな距離で視線を合わせた。

「お前たちみたいに、安全圏から『おもちゃ』を爆発させて悦に入っているような、卑怯者と一緒にするな。こっちは患者を救うためなら、命を捨てる覚悟があるんだよ！　自分の身を挺《てい》し、ありとあらゆる手段を使ってトロッコを脱線させる。それが私の『トロッコ問題』の選択だ！」

気迫に満ち溢《あふ》れた声で宣言した鷹央は、正一の襟を放す。

「あ、あああああ……」

崩れ落ちた正一は言葉にならない声を上げると、這うようにして爆弾に近づいた。彼がその蓋についているテンキーを震える指で押しはじめるのを、僕は息をすることも忘れて見つめ続ける。

正一が八桁の番号を打ち込んだあと、『Enter』のキーを押し込む。

軽い電子音が響くとともに、液晶画面に表示されていた『00：00：34』という数字が消え、代わりに『カイジョズミ』という文字が浮き上がった。

鷹央はキュロットスカートのポケットからスマートフォンを取り出す。いつでも解除コードを教えられるよう、正一たちが地下室に入ってくる前から、鴻ノ池のスマートフォンと回線をつないでいた。

「舞、『１９４２０５２２』だ！　『１９４２０５２２』が解除コードだ！」

鷹央はスマートフォンをスピーカーモードにすると、声を嗄らして叫ぶ。

『１９４２０５２２、了解です！』

興奮と緊張に満ちた鴻ノ池の声が響き渡った。

僕は鷹央が握りしめているスマートフォンを見つめる。

果たして、鴻ノ池は爆弾を解除できたのだろうか？

触れれば切れそうなほどの緊張で満たされた空間で、僕と鷹央は息をすることも忘れ、鴻ノ池の報告を待つ。

僕の腕時計の秒針が時を刻むかすかな音が、やけに大きく聞こえた。

『解除できましたぁ！　ああ、良かったよぉ！　めっちゃ怖かったよぉおお！』

鴻ノ池の半泣きの声が地下室の空気を揺らす。

「舞、よくやった！」「鴻ノ池！」

鷹央と僕は同時に歓喜の声を上げると、力いっぱい抱き合った。

「やったぞ、小鳥！」

「やりましたね、鷹央先生！　やりました！」

数秒間、こらえきれない喜びを分かち合ったあと、僕と鷹央の視線が至近距離で交わる。

鷹央の顔から、潮が引くように笑みが消えていった。

「……おい、なにどさくさに紛れてセクハラしているんだよ」

「セクハラって……、先に抱き着いてきたの、鷹央先生でしょ」

「はぁ⁉　なんで私がお前みたいなむさい男に抱き着かないといけないんだよ。適当なこと言っていると、名誉棄損とセクハラで出るとこ出るぞ。なんでもいいから、さっさと放せ」

「わかってますよ」

僕たちはすっと体を放す。なんとも居心地の悪い空気が僕たちの間に流れた。

『あのー、もしかして、二人でなんかいちゃついたりしてます？』

スマートフォンから鴻ノ池のからかうような声が聞こえてくる。

「いちゃついてない！」

僕と鷹央の声が重なった。

『いちゃいちゃしても全然いいんですけど、とりあえずこの爆弾、どうすればいいですか？　止まったのはいいんですけど、やっぱり怖いんですよね』

「そうだな……」

鷹央は気を取り直すように咳払いすると、魂が抜けたかのように爆弾のそばに座り込んでいる天王寺正一を眺める。

「桜井と服部に連絡を取って、病院とこの地下室、両方に爆弾処理班を派遣してもらうか」

鷹央はおどけるように肩をすくめて、天井の扉についている南京錠に視線を向ける。

「私が鍵を飲んじまったから、このままじゃ出られないしな」

エピローグ

「あ、あのあたり、いい感じじゃないですか？　ここにしましょう」

明るい声を上げながら鴻ノ池《こうのいけ》が、スキップするような軽い足取りで芝生の敷き詰められたなだらかな斜面を登っていく。

『アイスマン事件』が完全に解決した翌月の土曜日の昼、僕たち統括診断部の三人は久留米池《くるめいけ》公園に来ていた。

あの地下室で鷹央《たかお》に完全に心を折られた天王寺正一《てんのうじしょういち》は、駆けつけた警官に全く抵抗することなく逮捕された。取り調べでも、知っている情報をすべて吐き出したということだ。

正一の証言をもとに、この数週間で警察は、『日本の目覚め』の主要メンバーを軒並み逮捕し、組織を壊滅させた。

あの日、爆弾処理班をはじめとする警察官が大量に押しかけ、病院は大騒ぎになったが、事務長の天久真鶴《あめくまづる》、そして院長で鷹央の叔父でもある天久大鷲《おおわし》が冷静に対応した結果、大きなトラブルなく爆弾は警察が持ち去ることができていた。

そうしてすべてが一段落したお祝いとして、鴻ノ池が事件のはじまりとなったこの公園へピクニックに行こうと言い出し、僕たちはこうしてやってきていた。

公園の一角の、小高い丘になっている場所の頂上まで登った鴻ノ池は、そこにレジャーシートを広げると、いそいそとランチボックスを並べはじめる。

「小鳥《ことり》……、ちょっとおんぶしてくんない？」

斜面を半分上がったあたりで体力の限界に達したのか、鷹央が弱々しく言った。

「嫌ですよ。セクハラで出るとこ出られるかもしれないから」

「……お前って、けっこう執念深いよな」

鷹央は世界の終わりのような表情になる。

「ほら、あと少しですよ。頑張りましょう。引っ張るくらいならしますから」

僕は鷹央の手をつかんで、ゆっくりと斜面を登っていく。

数十秒かけてなんとか鷹央を丘の上まで引っ張り上げた僕は、あたりを見回す。正面を向くと久留米池を中心に広がる公園が一望でき、振り返ると東久留米市の閑静な住宅街が広がっている。

深呼吸をする。秋の澄んだ空気が肺いっぱいに満ちるのが心地よかった。

「鷹央先生、お疲れ様です。はい、お茶どうぞ」

水筒からお茶を注《つ》いだ紙コップを鴻ノ池から手渡された鷹央は、それを一気にあおると、倒れるようにレジャーシートに座りこんだ。

「疲れた……。やっぱりピクニックなんてやめとけばよかった」

「そんなこと言わないでくださいよ。ほら、サンドイッチどうぞ。鷹央先生用に、ホイップクリームいっぱいのフルーツサンドも作ってきましたよ」

鴻ノ池はサンドイッチがいっぱいに詰まったランチボックスの蓋を開けた。

「お、うまそうだ」

一転して上機嫌になった鷹央は、両手にフルーツサンドをつかんで口に運びはじめる。

「誰もとったりしないから、もっと落ち着いて食べましょうよ」

僕もレジャーシートに腰かけながら、鷹央に声をかけた。

「急いで食べすぎると、お腹《なか》痛くなりますよ。また内視鏡とかしたくないでしょ」

フルーツサンドをぱくついていた鷹央の動きが止まり、その口から「ううっ」といううめき声が漏れる。

あの地下室から警察に救出されたあと、飲み込んだ鍵をそのままにしていては危険ということで、鷹央は内視鏡で胃の中にある鍵を取り出す処置を受けた。ただ、それが（鷹央が怖がって暴れるせいで）かなり苦しかったらしく、鷹央はけっこうなトラウマを負っていた。

「内視鏡はもう嫌だ、内視鏡はもう嫌だ、内視鏡はもう嫌だ……」

サンドイッチを持った手で頭を抱えながら、鷹央は細かく震えはじめる。

「ああ、鷹央先生、かわいそうに。大丈夫ですよ。内視鏡なんてしませんから」

鴻ノ池が鷹央の背中を撫《な》でながら、「鷹央先生を虐《いじ》めないでください」と睨《にら》んでくる。

「いや、虐めたわけじゃ……」

僕はこめかみを掻《か》くと、ランチボックスからハムサンドを取り出した。

三十分ほど、僕たちは公園の穏やかな景色を楽しみながら、サンドイッチに舌鼓を打つ。

「そう言えば……」

野菜サンドを片手に、鴻ノ池が思い出したようにつぶやく。

「あの爆弾の『19420522』って解除コードの数字、何か意味があったんでしょうかね？　あれを決めたのって、天王寺龍牙さんですよね」

「セオドア・カジンスキーの誕生日さ」

鷹央が指についたホイップクリームを舐《な》めながら答える。

「セオドア・カジンスキー？」

聞き覚えのないその名に、僕は首をかしげる。

「別名ユナ・ボマー、一九七八年から十数年間、アメリカ各地の大学などに小包爆弾を送りつけ多数の死傷者を出した、世界で最も有名な爆弾魔だ」

「そんな犯罪者の誕生日を解除コードにしていたんですか。何か意味があるんですかね？」

口に入っていた卵サンドを飲み込んだ僕が言うと、鷹央は「さあな」と肩をすくめた。

「ただ、天王寺龍牙は幼少期から父親に洗脳され、テロのための爆弾を作ることに人生の全てを懸けていた。有機溶剤に体が侵され、ボロボロになってまでな。もしかしたら、天王寺龍牙は、爆弾の恐怖で社会を変えようとしていたユナ・ボマーと自分を重ねていたのかもな。そうやって同志がいると思わなければ正気が保てないほどに追いつめられていたのかもしれない」

「だとしたら、寂しいですね……」

僕が静かに言うと、鷹央は目を細め、眼前に広がる久留米池公園を眺める。そこでは土曜日だけあって、老年の夫婦が散歩をしたり、子供を連れた家族が池でボートを漕《こ》いだりする、微笑《ほほえ》ましい光景が広がっていた。

「天王寺龍牙も『日本の目覚め』というテロ集団の犠牲者だったのかもな。人生を奪われ、老人たちの馬鹿げた妄想のために『おもちゃの製造者』という役割を押し付けられた犠牲者……」

鷹央は大きく息をつくと、「しかし」と続ける。

「全くテロリストの奴《やつ》らは大したもんだよ。簡単に多くの人の命を奪ってしまう。私たち医者は、持てる全ての力を必死に尽くして、ようやく一人の命を救えるかどうかだっていうのに」

皮肉で飽和した鷹央の静かな言葉が、やけに心に染み込んできた。

あたりに沈黙が降りる。サンドイッチの咀嚼《そしゃく》音がやけに大きく聞こえた。

「ああ、そうだ。そろそろ送別会の準備をしないとな」

重くなりそうな空気を振り払おうと、僕は努めて明るい口調で言う。

「え、送別会って誰のですか？」

鴻ノ池は少し垂れ気味の大きな目をパチパチとしばたたいた。

「誰のって、お前に決まってるだろ。お前、今月で統括診断部の研修おしまいだろ？」

「あれ鷹央先生、小鳥先生に伝えてないんですか？」

新しいフルーツサンドを手に取っている鷹央に鴻ノ池が声をかけるのを聞いて、僕の胸に不吉な予感が満ちていく。

「ああ、そういえば、伝えていなかったかもしれないな」

鷹央は興味なさげに言うと、フルーツサンドにかぶりついた。

「話ってなんですか。ちゃんと僕にも教えてください」

不安を必死に押し殺しながら僕が訊《たず》ねると、鴻ノ池は「いえいえ大したことじゃないんです」と、軽く手を振った。

「ただ来月以降も私、統括診断部で研修することになりました。来年三月の初期臨床研修が終わるまでずっと」

「はあぁぁあ⁉」

衝撃的な情報に僕はめまいをおぼえる。

ようやくこの天敵と一緒に働かずに済むようになると思ったのに、あと半年近く統括診断部に鴻ノ池がいる？　そんな馬鹿な……？

「なんでだよ⁉　たしか来月から、選択研修で放射線科を回るってことになってただろ⁉」

「そのつもりだったんですけれど、統括診断部の方が面白いなあと思って。画像の読影なら鷹央先生が教えてくれるっていうし。選択研修は全部統括診断部にしました。それに残っていた内科研修期間も統括診断部で受けることができるっていうし、ほかの必修研修はもう終わっているので、ずっと統括診断部に居られることになりました」

「そんな馬鹿な……。決まっていた研修スケジュールを直前で変えるなんて、病院の上層部が許可するわけ……」

「上層部の副院長、天久鷹央先生です！」

鴻ノ池がびしりと鷹央を指さす。口いっぱいのフルーツサンドでリスのように頬を膨らませた鷹央が片手をあげた。

「そんな……、まだ悪夢が続くのか……」

「悪夢ってなんですか？　悪夢って。私みたいな可愛《かわい》い後輩と働けて嬉《うれ》しいでしょ」

「嬉しいわけあるか！　いつも鷹央先生と一緒に僕のことをおもちゃにしているくせに！」

「だって、小鳥先生ってからかいがいがあって楽しいから」

「おーい、舞。もうフルーツサンドないのか？　私はイチゴが食べたい」

「あ、待ってくださいね。新しいランチボックス開けますから」

僕たち統括診断部の他愛ない会話が、秋の爽やかな風に流されていった。

本書は書き下ろしです。

実業之日本社文庫 ち1 209

絶《ぜっ》対《たい》零《れい》度《ど》のテロル　天《あめ》久《く》鷹《たか》央《お》の事《じ》件《けん》カルテ

2024年4月15日　初版第1刷発行

著　者　知《ち》念《ねん》実《み》希《き》人《と》

発行者　岩野裕一
発行所　株式会社実業之日本社
〒107-0062　東京都港区南青山6-6-22 emergence 2
電話［編集］03(6809)0473［販売］03(6809)0495
ホームページ　https://www.j-n.co.jp/
ＤＴＰ　ラッシュ
印刷所　大日本印刷株式会社
製本所　大日本印刷株式会社

フォーマットデザイン　鈴木正道（Suzuki Design）

ISBN978-4-408-55878-3（第二文芸）